把一个低智儿培养成了闻名全德意志的奇才，这是证明《卡尔·威特的教育》一书神奇和伟大的最好例子。

——(美)哈佛大学心理学博士：塞德兹

我根本想不到，由哈佛图书馆的这本孤本藏书所传播的教育思想，最终会把刘亦婷引向哈佛。

刘亦婷被几所世界名校看中的优秀素质，就是用该书中的方法打下的基础。

——《哈佛女孩刘亦婷》作者语

为什么诸多神童同时集中于哈佛大学，世上根本不可能有这么多的偶合现象，这全是受益于《卡尔·威特的教育》的结果。

——〔日〕木村久一

哈佛天才与素质教育典藏文库

卡尔·威特的教育

CARL WETER'S EDUCATIONAL LAW

〔德〕卡尔·威特 著
刘恒新 译

这是一本中外教育史上的奇书，其德文原版藏于哈佛大学图书馆内，据说是美国的惟一珍本。

从问世至今，凡是有幸读到此书并照书中方法去做的父母，都成功地培养出了极其优秀的孩子。

京华出版社

CARL WETER'S EDUCATIONAL LAW

目　录

同一个灵魂支配着两个躯体，母亲的愿望对其腹中的胎儿不断产生影响，母亲的意志、希望、恐惧以及精神上的痛苦对胎儿的严重影响，大大超过对母亲本身的影响！所以，教育孩子，首先从改造孩子的母亲开始。

——意大利·达芬奇

第2章　生下来时都一样，仅仅由于环境/13

如果所有孩子都受到一样的教育，那么他们的命运就决定于其禀赋的多少。可是今天的孩子大都受的是非常不完全的教育，所以他们的禀赋连一半也没发挥出来。比如说禀赋为80的，可能只发挥出了40；禀赋为60的，可能只发挥出了30。

——爱尔维修

第3章　我抓住了儿子智力发展的最佳时期/24

根据儿童潜能的递减法则，一个人在成长过程中，是有某种智力发展最佳时期的。这个最佳期非常关键，它对人一生的智力发展都起着决定性作用，千万不要错过。对儿童早期智力开发的关键，就是抓住最佳期。

第4章　正确教育孩子的方法/45

我教育儿子的真正目的，就是要为他打开智慧的天窗，使他能够敏锐地观察到社会上的坏事，洞察出社会上的矛盾和缺陷。我们人类的理想，决不应当象亚当和夏娃那样，仅仅满足于在不知自己是裸露着身体的情况下过快乐的天堂生活。为此，我决不能让儿子成为精神上的盲目乐观主义者。

第5章　我只是想把儿子培养成全面发展的人才/78

我很少将儿子抱在怀里，而是让他随便地爬。父母应该是孩子最早的教师，而不应该是他的保护神。当儿子不慎摔倒在地时，在大多数的时间，我不会去扶起他，而是让他自己站起来。儿子应该从这些小事中学会独立的能力，他应该明白，他不能永远依靠父母，要靠自己。

第6章　千万不要小看他/91

做为父母，应该培养孩子敢于犯错误，敢于失败的行为。孩子和成人一样有能力去犯错误，也同样有能力去纠正和改正错误，敢于犯错误和改正错误是同样珍贵的。

第9章　我时刻注意夸奖儿子的妙处/151

我发现让儿子适应偶尔得到奖励的方式，他会继续表现他的良好行为。因为已经形成习惯，儿子知道怎样做会使我高兴，他也为此而高兴。对于自己的良好行为感到满足和高兴。

第10章　在培养儿子的善行上下功夫/163

我认为，理想的人是品德、健康、才能都得到良好发展的人。只重视他的身体，孩子将成为四肢发达的可悲的愚人；只重视智力，孩子会成为弱不经风的病夫，或者成为社会上的恶棍。然而，只重视品德教育，孩子会成为病夫，懦夫。这种人对社会、对人类都是无用的，因此，孩子的教育必须三方面并举。

第11章　我如何培养孩子的各种良好习惯/189

有的孩子天生很聪明，在他们很小的时候就聪明伶俐，灵气逼人，但由于没有得到父母良好的教导，他们容易对什么都感兴趣，对什么都想学，聪明的孩子最容易如此。

有求知欲和多种兴趣肯定是一件好事，但这要看父母去怎样教导他们。如果没有正确的指导，他们很有可能什么都要学，但什么都学不好。

第12章　我如何防止儿子“自满”/205

我教育儿子：知识能博得人们的崇敬，善行只能得到上帝的赞誉。世上没有学问的人是很多的，由于他们自己没有知识，所以一见到有知识的人就格外赞赏。然而，人们的赞赏是反复无常的，既容易得到也容易失去，而上帝的赞赏是由于你积累了善行才得到的，来之不易，因而是永恒的。所以不要把人们的赞扬放在心上。

我告诉威特，喜欢听人表扬的人必然得忍受别人的中伤。仅仅因为别人的评价而或喜或忧的人是最蠢的。被人中伤而悲观的人固然愚蠢，稍受表扬就忘乎所以的人更是愚蠢的。

第13章　我不让孩子养成不良习惯/214

除了儿子之外我也接触过不少和他年龄相仿的孩子。我发现几乎任何一种不良行为，孩子都会凭着自己的理解去获得某种自认为的“奖励”。我认为，父母的责任就是要去发现和取消这种“奖励”。

第14章　教儿子具备良好的心理素质/232

替孩子做太多的事，会使孩子失去实践和锻炼的机会。这是显而易见的。不仅如此，更严重的是过分地为孩子做事，实际上等于告诉孩子他什么也不会做，是个低能儿，他必须依靠父母，否则就不能生活。这种环境中长大的孩子，一旦走上社会便会无所适从，会到处寻找帮助，然而家庭之外是找不到父母式的照顾的，独立意识更无从谈起，这实际上是害了他们。

第15章　我教儿子与人相处/253

如果没有人与人之间的相互理解，那么每个人都固执地从自己的角度出发，认为自己永远对而别人总是错误的。

珍藏于哈佛大学的孤本
（代　序）

卡尔·威特是19世纪德国的一个著名的天才。他八九岁时就能自由运用德语、法语、意大利语、拉丁语、英语和希腊语这六国语言；并且通晓动物学、植物学、物理学、化学，尤其擅长数学；9岁时他进入了哥廷根大学；年仅14岁就被授予哲学博士学位；16岁获得法学博士学位，并被任命为柏林大学的法学教授；23岁他发表《但丁的误解》一书，成为研究但丁的权威。与那些过早失去后劲的神童们不同，卡尔·威特一生都在德国的著名大学里授学，在有口皆碑的赞扬声中一直讲到1883年逝世为止。

卡尔·威特能取得这番惊人的成就，并不是由于他的天赋有多高超——恰恰相反，他出生后被认为是个有些痴呆的婴儿——而是全赖他父亲教育有方。卡尔的父亲把小卡尔长到14岁以前的教育写成了一本书，这就是《卡尔·威特的教育》。书中详细地记载了卡尔的成长过程，以及自己教子的心得和独辟蹊径的教育方法。该书写于1818年，大概是世界上论述早期教育的最早文献。但这本书问世后并未引起人们重视，几乎绝版，保留至今的只有很少的几部了，哈佛大学图书馆里藏有的一册据说是美国的唯一珍本。因此，如今看过原书的人极其少，老卡尔·威特的教育理论只散见于受他启发的一些教育论著诸如《俗物与天才》、《早期教育和天才》等书中。

然而，正是由这些残章断片生发出的教育方法，培养出了近代像塞德兹、威纳·巴尔及维尼夫雷特等无数世界级的通过早期教育成才的典范。更令人兴奋的是，在200年后的中国，刘亦婷的母亲正是在这些片断理论的启迪和指点下，将女儿培养成出色的人才。所以在《哈佛女孩刘亦婷》中，她妈妈感慨道："应该永远感谢这些早期教育的倡导者和实践者……许多父母已经按书中的方法培养了数百个中国早慧儿童……我根本想不到，由哈佛图书馆里的孤本藏书所传播的教育思想，最终会把刘亦婷引向哈佛。"

现在我们将全书翻译过来，以满足关心孩子教育的人们了解这本奇书的愿望。因为原文长达一千多页，且其中大部分都是与主题扯得太远的枯燥议论，又写得杂乱无章，为了方便读者阅读，我们将原书中一些无关紧要之处删除，缩减了篇幅，分出章节，加上标题，目的在于使读者能在轻松的阅读之中把握住原书的脉络，从而更容易理解老卡尔·威特的教育思想。

如果这本被埋没已久的关于早期教育的书能够给我国的年轻父母有所帮助，通过它培养出更多优秀的人才，那将是我们最大的心愿。

2001年5月

天才儿子是我教育的结果
（原书说明）

这是一本关于儿童教育的书。诚然，儿童教育方面的书在欧洲是非常多的，尽有一些大教育家写作出来。而我——老卡尔·威特，哈勒附近一个叫洛赫的小小村庄的牧师，作为一名神职人员，充当上帝与凡人之间的信使才是我的天职——竟来写作一本教育孩子的书，何况下面发的一些议论可能会与教义格格不入，这无疑是不得体的且是不合时宜的。

但是我决定将我的教育思想和实践在这里诚实地写出来，因为我对现时流行于世的教育思想不仅不表同情，而且站在与之完全相反的立场上。我以为这样才能显示我对上帝的忠诚。

为了消除对我写作此书的资格的质疑，请允许我首先向诸位介绍我的儿子——小卡尔·威特的经历。小卡尔出生于 1800 年 7 月，8、9 岁时他已经能够自由运用德语、法语、意大利语、拉丁语、英语和希腊语六国语言，也通晓化学、动物学、植物学和物理学，而他尤为擅长的是数学；9 岁时他考入莱比锡大学；10 岁进入哥廷根大学，他于1812年冬天发表了关于螺旋线的论文，受到一些学者的好评；13岁他出版了《三角术》一书；1814年4月，他由于提供的数学论文卓而不群而被授予哲学博士学位。

小卡尔已经获取了这样非凡的成就，而我不得不说，他在今后还会获取更为非凡的成就。虽然人应该以谦逊为美德，但是我对用自己的一套方法教育出来的孩子有坚定的信心。

人们都说我儿子是天生的天才，不是我教育的结果。如果上帝真给了我一个天才的儿子，这是上帝对我的仁慈，再没有比这更幸福的了。可是，实际情况并非如此。

我和我的妻子一直盼望着得到自己的孩子，但是在这方面我们非常不幸，我们的第一个孩子出生没有几天就夭折了。这件不幸使我们想再次拥有孩子的愿望变得愈加强烈。也许这个愿望终于感动了上帝，在我52岁时，我们的第二个孩子出生了。我给儿子取名为卡尔·威特，以表达我的喜悦之情。可是他并不是一个称心的婴儿。儿子一生下来就四肢抽搐，呼吸急促，虽然我不愿意承认，但这孩子明显先天不足。

婴儿时期的卡尔反应相当迟钝，显得极为痴呆。我无法掩饰作为父亲的悲伤，曾经哀叹："这是遭的什么样的罪孽呀！上帝怎么给了我这样一个傻孩子呢?"我的邻居们常常劝我不要为此过分担忧。他们是一些善良的人们，可是在心底里的确认为卡尔是个白痴，而且还在背地里为孩子的未来和我们的处境犯愁。

我对他们并无丝毫的抱怨之辞。当时就连卡尔的母亲也不赞成我再去花功夫培养儿子了，她绝望地说："这样的傻孩子教育他也不会有什么出息，只是白费力气罢了。"

我尽管很悲伤，可是没有绝望。上帝怎样去安排这孩子谁都无能为力，但我却要尽到作父亲的责任，尽我的能力给他最好的教育。我在给我的堂弟的信中写道：“我52岁才得到一个儿子，怎么会不爱他呢？我要用我以为正确的方法去爱他。我已制定出周密而严格的教育方案。现在儿子看起来虽然毫无出色之处，但我必将他培养成非凡的人。”

很多人都不相信我的话，甚至我的许多亲友都不相信。相信我的话的只有一个人，他就是生前在哈勒远近闻名的格拉彼茨牧师。格拉彼茨牧师自幼就是我的好朋友，是最了解我的人。

为了鼓励我将自己的教育方法传播于世，格拉彼茨牧师曾经对我说过：“正如你所说的，卡尔的非凡禀赋确实不是天生的。他之所以能成为天才，完全是你教育的结果。人们只要了解了你的教育方法，他们对于卡尔能成为这样一个天才就不足为奇了。我坚信，卡尔今后一定会更加轰动世界的。我了解你的教育方法，所以我也深信，你的教育方法最终一定会取得最大的成功。”

另外，下面的事实将更会证实我的说法。

在孩子生下来之前，玛得布鲁特市的几个青年教育家和该市周围的几个青年牧师曾共同发起组织了一个探讨教育问题的学会。格拉彼茨牧师也是该会的会员。本来为了让更多的人了解我的教育方法，格拉彼茨牧师就尽力为我创造各种机会让我宣讲。现在经他介绍，我也成了该会会员之一了。

在一次聚会上，有一个叫希拉德的牧师提出了这样一个观点：“对于孩子来说，最重要的是天赋而不是教育。

教育家无论怎样拼命施教，其作用也是有限的。”

由于我向来持有与这种观点完全相反的意见，所以就立刻站起来反驳：“请恕我直言，我不赞成您的这种说法。我认为，对于孩子的成长来说最重要的是教育而不是天赋。孩子最终成为天才还是庸才，不取决于天赋的大小，关键决定于他或她从生下来到五、六岁时的教育。诚然，孩子的天赋是有差异的，但这种差异毕竟有限。在我看来，别说那些生下来就具备非凡禀赋的孩子，即使仅具备一般禀赋的孩子，只要教育得法，也能成为非凡的人。正如爱尔维修所言：‘即使是普通的孩子，只要教育得法，也会成为不平凡的人。’我坚信这一论断。”

我在会上发表的这番言论，使我成了众矢之的，他们一起向我发起围攻，这真是叫我无可奈何。最后我只得说：“你们有十三、四个人，而我只是一个人，我寡不敌众，是辩不过你们的。所以，与其跟你们辩论，不如拿事实来说话。只要上帝赐给我一个孩子，而且你们认为他不是白痴，我就一定能把他培养成一个非凡之人。这是我由来已久的决心。”

这些会员气势很盛，纷纷回答说：“行，我们等着瞧！”

讨论会结束以后，希拉德牧师仍言犹未尽，又邀请我去他家谈谈，我就与格拉彼茨牧师一起去了。在希拉德牧师家中，我们继续讨论会上争论的问题，但是仍然毫无结果，我们只是不断地重复着各自在会上已经说过的话。

在讨论会上一直沉默不语的格拉彼茨牧师现在却旗帜鲜明地表示了对我的观点的支持。

他说：“我确信，威特先生的誓言一定会实现，他的教育方法一定能取得相当的成功。”

可是希拉德牧师根本不相信这一点。他断言，那是不可能的。

其后不久，我有了儿子。格拉彼茨牧师立即把这个消息通知了希拉德牧师，希拉德牧师又立即把这个消息告诉了其他会员，并让他们来验明正身，确信小卡尔刚出生时，确实不是一个天赋非凡的孩子。

于是自从卡尔出世后，他们就都注意着我的儿子。周围的人们也因此而多了一桩事，那就是议论卡尔的成长，那意思似乎是说：“好，这回就看你的本事了！”当然我知道，那些议论很少有对我表同情的，大家更像在等待着一个注定失败的实验结果。

每次见到我和格拉彼茨牧师他们就试探性地问：“怎么样，有希望吗？”

对此，我和格拉彼茨牧师总是坚定地回答：“是的，一定会给你们一个惊喜的。”

尽管如此，他们依旧以一种怀疑的眼光注视着卡尔的成长过程。

感谢上帝，我的心血没有白费。没有多久，当初的“傻”孩子就轰动了邻里和方圆左右。当卡尔长到四、五岁时，他在各方面的能力已大大超过了同年龄的孩子。

看到自己的辛苦付出终于快要结下硕果，也看到这场在自己儿子身上所做的“天才是天赋的还是后天培养的”试验快要产生明显的结果，我便找到一个机会，让希拉德牧师首先来看看我的儿子。

“哎呀，真是个好孩子！”希拉德牧师一见到卡尔就非常高兴，他一下子就喜欢上了卡尔。

其后，希拉德牧师也看出我的儿子不是普通的孩子了。由于他是看着卡尔如此神速地进步的，他也就逐渐开始相信我的教育学说了。

在前面拉拉杂杂说上这么多，诸位一定觉得过于啰嗦。可是我的教育思想与时下流行的完全不同，在培养儿子的过程中，一直受到教育家们的怀疑，也许是因为我的教育观念冒犯了这些权威们业已成形的信条吧。

好在我从未动摇过自己的信念，我始终坚信，只要教育得法，大多数孩子都会成为非凡的人材。事实也证明了这一点，连我的儿子这样生下来毫不出色的孩子，在经过精心培养以后，也能获得如此成功。

可是人们似乎并不理解。在我的孩子成名以后，人们只是一味谴责其他教育家的无能，甚至责怪他们为什么不能把孩子教育成像卡尔那样的人。这样其实毫无益处，只会让那些教育家们对我更加敌视。

我写作此书的目的既是为了减少反对派对我的敌视，也是为了向人们阐明正确的天才观。我要说的观点只有一个：对于孩子来讲，倘若家庭教育不好，就是由那些最优秀的教育家进行最认真的教育，也不会有好的效果。

当然我将自己的教育方法公开也是为了答谢朋友们的关心。要知道，儿子的成名，使我在面对许多敌人的同时，也结识了很多朋友。

朋友们对我的教育方法很关注，常常用谈话或通信的方式来鼓励我，他们总是在我最需要的时候慷慨地给我支持和帮助。因此我常常被他们的好意所感动，有时甚至感动得流泪。

应该说，我的成功大半在于他们的同情和支持。因此，我终生难以忘却他们对我的一片好心。

我的朋友们都希望我把我的教育方法编写成书公之于众。而我屡屡拒绝，但是到最后还是被他们说服了，他们的好意是无法抗拒的。我就是在他们的再三劝说下，才决定公开我的书的。

不过，我不能断言，运用我的教育法的人就一定能像我一样获得成功。另外，也没有必要让旁人的孩子都像我儿子一样接受那样的教育。但是我相信，不管谁使用我的教育法，肯定都会取得良好的效果。

现在我就开始介绍儿子小卡尔·威特成长的整个过程了。一个孩子的成长过程虽然十分琐碎，但我会尽力让大家看得生动有趣，使诸位既获教益又不嫌烦闷。

第 1 章

愿上帝保佑我的孩子

同一个灵魂支配着两个躯体，母亲的愿望对其腹中的胎儿不断产生影响，母亲的意志、希望、恐惧以及精神上的痛苦对胎儿的严重影响，大大超过对母亲本身的影响！所以，教育孩子，首先从改造孩子的母亲开始。

——意大利·达芬奇

我选择了一个合格的女人为妻

孩子顺从上帝的意愿来到这个世界。这个世界对于孩子是奇怪的、陌生的，孩子对于世界则是无力的、软弱的。作为上帝的子民，我的使命是竭尽全力使自己的孩子坚强有力，使他顺顺当当地成长，尽情地享受生活的乐趣。而要做到这一点，在孩子成人之前，我想应使他尽量具备人性的美德和健康的体魄。

多数父母都是在孩子长到两、三岁时才注意到这一问题，但若要完成这一义务，则必须从尚未为人父母起就开始注意，也即是说，我们自己应合乎上帝的要求，必须健康、合格。

虽然人们流传说“近亲可以培养出最好的马和最好的狗”，可是这并不适用于人类。在我身边的例子是：邻村的木匠汉森跟他表姐结婚，他们一共生了10个孩子，其中三个夭折，其余七个都患有不同的疾病。汉森和他的妻子两个家庭在我们这地方世代人丁兴旺，但汉森居然没有后代来延续他的家族。现在已进老年的汉森常常因此伤心落泪，但为时已晚。

我之所以要举这个例子，是想说明近亲结婚生下的孩子往往弄得人们焦头烂额，这与动物又有什么区别呢！

有些人在寻找自己的婚姻伙伴时，常常根据自己的情况，暗藏不同的动机，这种人让我感到厌恶。有人说，你看我的家境不佳，难道还能挑三捡四吗？为了婚后的生活，我非得找一个有钱人家的姑娘不可，也有人说，为了今后飞黄腾达，在人世间取得令人顶礼膜拜的地位，别的都在所不计，我必须娶一个出身名门的姑娘为妻；还有人说，我是对我妻子的舞蹈着了迷才向她求婚的；也有人说，由于妻子长得漂亮，我才和她结婚的。

要知道，这些都是错误的。为了自己和后代的幸福，很重要的是，我们一定要选择身体健康、内秀、善良的女人做妻子。我认为，只要对方没有家族病症和众所侧目的缺陷，大可不必为了某种目的去选择配偶。

我的妻子不算是那种非常漂亮的女人，但我们非常相爱。我之所以选她，是因为她有一颗善良的心。她勤劳，知书达礼，并且在任何情况下都能理解和支持我。虽然我是一个清贫的牧师，没有丰裕的物质生活，但我从来没有听到过她任何的抱怨。在有了卡尔之后，她把自己的母爱毫无保留地倾注在孩子身上。面对上帝我时常这样想：卡尔之所以有今天的辉煌，与他母亲那一颗天生善良的爱心是分不开的。

小小的过失：妊娠期与宠物为伴

所有的父母们都渴望生下天才，希望他出人头地，我和妻子也不例外。但是，有一点我很清楚，世上事往往难如人意。在儿子未出生之时，我和妻子都沉醉在即将为人父母的激动之中。虽然那种喜悦让人难以控制，但我们常常询问自己："这孩子行吗?"

为了能有一个健康的孩子，在妻子还未怀孕之时，我们就开始充分注意自己的精神和体质。

我认为奢华往往使人易于沉溺于享乐的心情之中，不易做到神清气爽。所以我和妻子在衣、食、住上都非常朴素、节俭。为了呼吸到新鲜的空气，不应该老是整天呆在屋子里，所以我和妻子时常到户外散步走动，在田野之中享受大自然的美丽，那样很容易使我们的心胸开阔。我和妻子的性格都很好，对身边任何琐事始终是心平气和，很少有感情冲动的时候。在那段日子里，我们的生活是安宁和称心如意的。我想，在这种情况下生下来的孩子一定会身心健康。

虽然德国人都喜欢饮酒，但幸好我没有这种爱好。我在此也奉劝那些好饮酒的父母，为了孩子的健康着想，必须放弃饮酒的习惯。我们夫妇在要孩子时，我的一位医生朋友就告诫过我，如果酒后受孕，胎儿往往发育缓慢，智力也较为低下，特别是妇女饮酒，后果尤为严重。因此，夫妻双方至少应在受孕前三个月开始戒酒。

我和妻子在怀孕之前都非常注意这一点。

在那段时间里，我们经常运动，无论在哪里都是步行着去，不到非常必要的时候绝对不坐马车。那时我们都对未来的儿子充满信心，而妻子的性格也很开朗。我们时常到田野散步，或者去周围的山坡上徒步爬山，我还经常帮着她去摘野花呢。我认为，这样不仅对将来的孩子有利，也增进了我和妻子之间的感情。

我和妻子的感情一直很好，几乎没有什么争吵。我认为，仅仅为了未出生的儿子我们也应该和睦相处。

在儿子出生之前，我们一切都做得很好，唯有一点过失，使我至今有所遗憾。医生曾告诉过我，有一种弓形的寄生虫对胎儿的危害特别严重，这种寄生虫就常常出现在猫狗的粪便及其生肉中。但当时我们都没有引起重视。为了让妻子心情愉快，除了原有的猫，我还从邻居家抱养了一只小狗，供妻子解闷。儿子生下来不太健康，我想恐怕就是这个原因吧。

上帝是不会辜负我们的

一旦妻子怀了孕，就更应当过有规律的生活。不仅是妻子，我也毫不例外。我们安排了严格的作息时间，尽量做到早睡早起。以前我有深夜祈祷的习惯，这种习惯是在年轻求学时养成的。因为我是一个爱思考的人，夜深人静

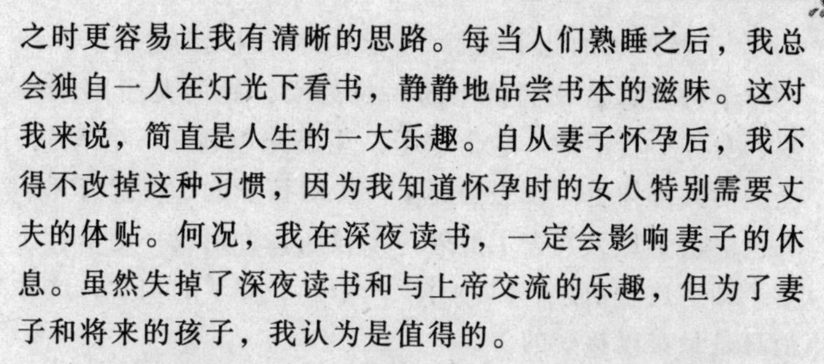

之时更容易让我有清晰的思路。每当人们熟睡之后，我总会独自一人在灯光下看书，静静地品尝书本的滋味。这对我来说，简直是人生的一大乐趣。自从妻子怀孕后，我不得不改掉这种习惯，因为我知道怀孕时的女人特别需要丈夫的体贴。何况，我在深夜读书，一定会影响妻子的休息。虽然失掉了深夜读书和与上帝交流的乐趣，但为了妻子和将来的孩子，我认为是值得的。

意大利画家达·芬奇说过："同一个灵魂支配着两个躯体……母亲的愿望对其腹中的胎儿不断产生影响……母亲的意志、希望、恐惧以及精神上的痛苦对胎儿的严重影响，大大超过对母亲本身的影响。"怀孕是很辛苦的，作为丈夫，我尽力在每一件事上给予妻子更多的关怀、理解和体贴。有时候妻子的情绪不好，我就耐心地引导她和我说话，在感情上进行交流，尽快让她从不好的心境中摆脱出来。

有一天，妻子的情绪突然被笼罩在一种不安和恐惧之中，那天我从外面布道回来，按平常的习惯我首先要做的是去向妻子问好并亲吻她，可当我一走进房间就发现妻子有些不对劲。

"亲爱的，你怎么啦?"我问妻子。

妻子只是哀怨无助地看着我，一句话也没有说。

当时我真感到奇怪，因为妻子的性格一直很开朗，有什么事让她如此忧伤呢？她一直呆坐在那里，两眼无神，满脸的忧郁。

我赶忙过去将她轻轻搂住，并柔声地问她："有什么不舒服吗？告诉我，我们不是一直都很幸福吗？你不是什么话都要给我说吗？今天究竟怎么啦?!"

“卡特琳娜的儿子死了。”妻子的语调无助之极。

卡特琳娜是我们镇上的一位妇女，她的儿子刚刚一岁，身体一直不好。这个孩子一生下来就得了一种怪病，全镇的人都知道。没想到那个可怜的孩子这么快就离开了人世。由于那天我去了另外一个教区，否则我一定不会让妻子知道这个消息。因为对于一个已经怀孕的妇女，这种消息是最难以接受的。

“今天，他们来找你，可是你不在。听到这个消息后，你不知道我有多难过。我突然想到了我们的孩子。”妻子悲伤地说道。

“哦，亲爱的，千万不要那样想。”我完全能理解妻子的苦恼，连忙劝慰她：“卡特琳娜的孩子生下来就有病，虽然我没有想过这么快就……但是，我们的孩子一定没有问题的。”

“可是，我们第一个孩子不是也夭折了吗?”说到此处，妻子大哭起来。

当时真让我手忙脚乱，但我还是竭力地控制住自己，帮助妻子从悲伤之中挣脱出来。

“亲爱的，不要想得太多。我们第一个孩子的夭折，那是上帝的安排，是没有办法的事。我们不能总是停留在过去，应该向前看。我每天向上帝祈祷给我们一个健康的孩子，我想上帝是不会辜负我们的。我听说卡特琳娜在怀孕时就成天和丈夫吵架，每天都处在不愉快之中，所以她的孩子才不健康。为了我们的孩子，我希望你快乐起来。”

“这个我知道，可我就是忍不住。”妻子哭着说。

“来，让我来帮你。你应该尽快忘掉不愉快的事，想想我们即将出生的孩子的模样，他一定是个很棒的小子。

试试看，做一个深呼吸。”我一边说，一边给妻子做示范。

妻子也跟着我做起深呼吸来。一会，她的心情好多了。那天晚上，我特意把所有的时间都用来陪伴妻子，给她谈我的工作和我最近看的一本书。第二天，妻子已经完全从悲痛中走了出来，恢复了往常的开朗。

在关心妻子上，我自认为是个合格的丈夫。为了让她保持愉快的心境，我可以说想尽了一切办法。不管是在她的饮食或其它方面，我都力求尽善尽美。

妻子很喜欢泡烫水澡。她把一天劳累后洗一个烫水澡视为一种享受。但是在她怀孕期间，我坚决制止了她的这一奢好，因为过高的水温对她虽然很舒服，但对胎儿却有极大的害处。

虽然快要做母亲了，但妻子毕竟是个很年轻的女人，有时也会任性。对于我这个做丈夫的男人来说，哄哄她也是常有的事。

有一次，妻子趁我不在时，又开始泡烫水澡。后来被我知道了，便开始责怪她。

“你怎么又那样做？我不是给你说过过高的水温对孩子有害吗？”

“哼，你就知道孩子。自从怀了孩子，我发现你所做的一切都是为了孩子，你不像以前那样关心我了。”妻子假装生气地说。

“怎么能这样说呢？孩子是我们共同的孩子，关心他还不是关心你吗？现在泡烫水澡确实对孩子不利，等孩子出生后，你想怎么泡就怎么泡，我才不干涉你呢。”

“可是，这几天我没有出门，浑身不舒服。仿佛身上的肌肉都变酸了，难受死了。”妻子调皮地辩解：“你不是总是说，母亲如果不愉快就不会生出健康的孩子吗？我不泡烫水澡就不愉快，你说该怎么办。”

虽然妻子是在与我开玩笑，但也有她的道理。于是，以后每天我都要女佣给她准备热水烫脚，并亲自用热毛巾给她擦身子。

那段日子是我至今难忘的。我不像很多人那样在妻子怀孕后便对她有所冷落，相反那时我们之间的距离是那么的近。那是一种特有的幸福，虽然孩子还没有出生，但我们已经感觉到他了。

在妻子怀孕期间，我还每天从外面带回好看的鲜花，并给她推荐一些好看的书，都是为了让她有快乐的心情。

妻子天生有一副动听的嗓子，结婚之前在我们那里她是一个有名的姑娘，谁都知道她歌唱得很好。在怀孕期间，她时常轻轻地歌唱，并对我说孩子一定听得到。

从改造儿子的母亲开始

有人对我说，伟人的孩子一定会是伟人，至少都会有很大的成就。但我并不这样认为，因为伟人过于热衷于事业而无暇关注孩子，而妻子也往往由于丈夫是伟人而无心于教育孩子，她们只关心成功的丈夫，而忽略了孩子。其实，母亲的教育对孩子极为重要，从我有限的知识来看，历史上的伟人往往有一个善于教育孩子的母亲。

在后面我会详细介绍儿子的母亲在他成长过程中发挥的作用。我认为卡尔取得了这些成就，首先感谢的应该是他的母亲。因为她不仅心地善良，而且具有丰富的知识。

无论在儿子的教育方面还是在生活常识方面，她都堪称为一名合格的母亲。

事实上，她在儿子的培育上表现得更为优秀。

卡尔的母亲在怀孕期间非常讲究饮食，用她的说法就是“我的一切都会影响到孩子”。**她在怀孕期间从来不吃辛辣的东西，像咸菜、虾这一类的东西都一概不吃。连她最爱吃的油炸咸鱼都戒掉了，她说我的宝贝一定不能吃这些东西，这些东西会破坏胎儿娇嫩的皮肤。**她说虽然是自己吃而不是喂给孩子，但那些东西到了肚子里后肯定会被孩子吃掉。

我妻子是个非常坚强的女人，她时常对我说为了让孩子在未出生时就能成为一个勇敢的人，自己就要变得更加坚强。所以，在怀孕期间她几乎没有哭过，即使有难过和伤心的事，她也能从瞬间的痛苦中挣脱出来。我认为妻子的做法是完全正确的，因为**怀孕期间的母亲如果心情不快乐，经常哭泣，那么会直接导致未来的婴儿发育不良，而发育不良是形成软弱无能者的原因之一。**

作为母亲，应该使孩子成为爱美、爱正义、爱真理的人。许多母亲只顾关心孩子的健康而忽略孩子的品德的形成和智力的发展，这都是错误的、不负责任的行为。我妻子勇敢和快乐的精神在后来深深地影响了儿子，她用坚强去武装孩子的精神，并给了他爱与智慧，使儿子后来步入社会时，即使遇到困难，也无所畏惧、永不失望。

可以这样说，卡尔是由他母亲一手带大的，她不仅精心地养育了他的身体，也对他的教育做出了不可磨灭的贡献。

有很多母亲雇人教育孩子，我认为这样的妇女不能称为母亲，因为这是在推脱做母亲的责任。我认为，**母亲的工作不能由旁人代替，孩子的教育必须由母亲承担。把自己的孩子托给他人，恐怕只有人类才这样作，这种作法有失天性。**

有这样一对夫妇，他们年轻而充满活力。由于家庭条件极好，生下孩子后就去国外旅行。他们把孩子委托给一位亲戚，而这位亲戚也因为有很多工作，根本无时间教育孩子，于是就把孩子交给管家喂养。

他们在英国住了一年，又去法国住了一年，后来还去了美国和非洲，他们几乎走遍了全世界。他们走之前对别人说，现在有了孩子，趁他还小的时候应该去外面多玩一下，否则等孩子长大后要教育他就没有时间了。

多么愚蠢的父母，他们不知道孩子一出生教育就已经开始了。他们错误的观念让他们最终尝到了苦果，以致于终生后悔不已。

当他们从国外回来后，发生的事令他们目瞪口呆。孩子根本不认识他们，把他们当陌生人看待。这能怨孩子吗？因为这时孩子已经快要五岁了。

晚上，当这对夫妇想让孩子和自己一起睡时，都遭到了孩子的拒绝。虽然他们的卧室美丽而舒适，可孩子却偏偏要去管家那间简陋的房里。

他们都是受过良好教育的人。而如今，他们的孩子满嘴粗话，成天在外面和一群捣蛋鬼玩。他在外面玩得太高兴，以至于经常和别的孩子打架、干坏事、欺负更弱小的孩子。他们想让他读书识字，但孩子根本学不进去，也一点不服他们的管教。

每当他们教导孩子时，只会看到孩子陌生而冷漠的目光。

终于，不应该发生的、令人心痛的一幕发生了。

有一天，他们和孩子发生了激烈的争吵。

“你要知道，我们是你的亲生父母。”对于孩子的冷漠，年轻的父母终于发怒了。

看到他们凶神恶煞般的模样，孩子转头跑出了房间，躲在了管家的身后。于是，他们把怒火全都发泄在管家身上。

“你是怎么带孩子的，他怎么连亲生父母都不认识了。”父亲怒气冲冲地对着管家吼叫。

“哦，先生。我想……是因为你们很久不在一起的缘故吧……我想以后会好的。”可怜的女管家战战兢兢地为自己辨解。

“不许你们这样对玛格丽特太太说话。”孩子肯定是站在带他长大的女管家一边的。他一边为她说话，一边怒视着自己的生身父母。

“我是你的父亲，你不懂吗?”

“可我从来没有见过你。”

“不管怎样，从今以后你要听我们的话，要接受良好的教育。从今天起，不许你再和玛格丽特太太一起睡，而要和我……。”

“不，”孩子打断了父亲的话，“我喜欢和玛格丽特太太在一起。”

“那好，我今天就辞掉玛格丽特太太，看你怎么办。”父亲这时已经火冒三丈。、玛格丽特太太含着眼泪离开了孩子，因为她和孩子相处了大约五年，已经有了深厚的感情。

在以后的日子里，这个孩子变得郁郁寡欢，在睡梦中时常呼唤玛格丽特太太的名字。在他十几岁的时候，有好几次离家出走。

我认为，这样的结果是必然的。

在这里，我并不是说一定不能雇用人来照料孩子，只是要采取正确的方式。生活比较富裕的家庭，可以把部分杂活交给女佣，对孩子的照料不一定样样都动手。但即使如此，对孩子的教育和平时的管教，母亲一定要承担起责任。

我们家也一直雇用女佣，但没有发生上述的那种事情。主要是因为卡尔母亲承担起了主要的工作，她时刻陪伴着儿子，哺育他、教育他。女佣只是在她忙不过来时帮助她。很久以来，我们家的女佣已经成为我们家庭中的一员，她是卡尔母亲的好帮手。

有一位名人曾经说过：国民的命运掌握在母亲的手中。我非常欣赏这句话，但真正理解其中意义的人却很少。很多不称职的母亲，在无意之中把孩子引向了岐途，这是人生中最大的憾事。左右国民命运的是母亲的教育，我希望天下的慈母都勇敢地承担起这一光荣的职责。

第 2 章

生下来时都一样，仅仅由于环境

如果所有孩子都受到一样的教育，那么他们的命运就决定于其禀赋的多少。可是今天的孩子大都受的是非常不完全的教育，所以他们的禀赋连一半也没发挥出来。比如说禀赋为 80 的，可能只发挥出了 40；禀赋为 60 的，可能只发挥出了 30。

——爱尔维修

儿子的天生禀赋与后天教育

爱尔维修曾经说过：**“人刚生下来时都一样，仅仅由于环境，特别是幼小时期所处的环境不同，有的人可能成为天才或英才，有的人则变成了凡夫俗子甚至蠢才。即使是普通的孩子，只要教育得法，也会成为不平凡的人。”**

在儿子还没生下来以前，我已经坚信这一说法，并且常常向别人宣传。当然爱尔维修的言论也有其片面性，他在强调环境对孩子成长的作用时，忽视了他们在天赋上存在的差异。对这一点我有充分的认识，我决不像爱尔维修

那样不承认孩子的禀赋有所不同，有人攻击我不承认孩子的禀赋不同，这是诬蔑。

其实在教育学领域一直存在着两种天才观之争。我举出两个例子就能使这两种观点的不同一目了然。

哲学家卢梭在他的教育学著作《爱弥儿》一书中有如下一则比喻：这里有两只狗，它们由一母所生，并在同一个地点接受同一母亲的教育，但是，其结果却完全不一样。其中一只狗聪明伶俐，另一种狗愚蠢痴呆。这种差异完全是由于它们的先天性不同造成的。

与之相对的是著名教育家裴斯塔洛齐的一段寓言：

有两匹长得一模一样的小马。一匹交由一位庄稼人去喂养。但那个庄稼人非常贪得无厌，在这匹小马还没有发育健全时就被使用来赚钱，最后，这匹小马变成了无价值的驮马。与上述这匹命运迥异的是，另一匹小马托付给了一个聪明人，最后在他的精心喂养下，这匹小马竟成了日行千里的骏马。

以上两则小故事代表了有关天才与成才的两种截然相反的观念。前者强调的是天赋，认为人的命运是由其天赋的大小决定的，而环境的作用是次要的。与此相反，后者则几乎视环境的作用为万能，天赋的作用则毫不重要。

自古以来，在关于孩子的成长问题上，很多人更倾向于卢梭派的学说，支持裴斯塔洛齐派学说的人寥寥无几。爱尔维修无疑是裴斯塔洛齐派的先驱者。我虽然也倾向于这一派，但并不是完全站在这一边的，我还有我自己的看法。

我的看法是：孩子的天赋当然是千差万别的，有的孩子多一点，有的孩子少一点。假设我们最幸运地生下一个禀赋为100的孩子，那么生就的白痴其禀赋大约只能在10以下，而一般孩子的禀赋大约只能在50左右了。

如果所有孩子都受到一样的教育，那么他们的命运就决定于其禀赋的多少。可是今天的孩子大都受的是非常不完全的教育，所以他们的禀赋连一半也没发挥出来。比如说禀赋为80的，可能只发挥出了40；禀赋为60的，可能只发挥出了30。

因此，倘能乘此之虚，实施可以发挥孩子禀赋八到九成的有效教育，即使生下来禀赋只有50的普通孩子，他也会优于生下来禀赋为80的孩子。当然，如果对生下来就具备80禀赋的孩子施以同样的教育，那么前者肯定是赶不上后者的。不过我们不要悲观，因为生下来就具备高超禀赋的孩子是不多的，大多数孩子，其禀赋约在50左右。何况如果我们按照前文所述的方法进行生育，孩子的禀赋决不至于差，甚至得到高超禀赋的孩子的机会也是很大的。

天才的失败来自于父母的极度催逼

根据上述的理论，如果对生下来就具备高超禀赋的孩子施以高明的教育，那他的发展就是不可估量的。但遗憾的是，人们对天才的教育往往是失败的。父母总是只着眼于孩子的天赋，而不注重全能培养，对孩子过分挑剔，要求太高，最终会引起孩子的逆反、压抑与怨恨。因父母施加的压力过大而半途而废的天才不是少数。

许多知名的人在成年后都说过，他们年幼时曾受到父母的极度催逼，结果留下终生的创伤。英国哲学家约翰·斯图尔特·穆勒的父亲在他少儿时期就无情地催逼穆勒，不允许他有假日，惟恐打破他天天刻苦学习的习惯，也不给他丝毫的自由，事无巨细都对他严加管束，不允许他有“随意的”爱好。穆勒在青年时期经常精神抑郁，终生都感到有心理障碍。在自传里，他痛心疾首地回忆了受父亲压制的情景：

一有错误就得立即纠正。开始讨论时，父亲往往采用轻松愉快的交谈式口吻，一旦出现数学错误，这种口吻便会戛然而止。继而这位和蔼可亲的慈父就一下子变成了血腥的复仇者。

卡尔·冯·路德维希是一个著名而悲惨的例子。卡尔是一个学业天赋极高的孩子，但因为父亲不停地催逼他，一心想使他过早地功成名就，他半途而废了。卡尔的父亲亲自教儿子高等数学，强迫他在醒着的每一分钟都得学习。他反对一切与学业无关的兴趣，体育、游戏、对大自然的探索对他来说无足轻重。卡尔 8 岁时父亲就让他上大学水平的数学课程，9 岁时他就在学习微积分并尝试写剧本了。他不断跳级，仅用三年时间就修完大学课程，11 岁大学毕业。他主修数学，大学的教授们预言卡尔会成为一名世界级数学家。

然而，开始的辉煌瞬间转为暗淡。卡尔上研究生院的一年后，对数学全然失去兴趣，随即转入法律学院，但很快也对法律失去了兴趣。最后他从事办事员工作，既不用思考，也不用担责任。

我听说的这两个实例说明，正确的教育方法是极其重要的。如果实施了错误的教育法，不要说禀赋一般的孩子了，就是拥有高超禀赋的孩子也会被扼杀掉。

人如同瓷器，幼儿时期好比制造瓷器的粘土

我曾告诉我的朋友们，纵观有史以来的伟人和天才，他们大都有着这样或那样的缺点，倘若能给他们以再高明一些的教育，那他们一定会更伟大，更健康、更和善、更宽大、更出色、更聪明、更正直、更博学、更谦虚和更坚强。一言以蔽之，就会成为更加尽善尽美的伟人和天才。

而一个人的品质如何，很大程度上是取决于幼年时期所受的教育如何。所以说国民的道德如何，取决于这个国家的人民对其子女的教育如何。在世界各地，人们崇尚不同的伦理，信奉不同的主张。但是，不论东方人的天命和宿命论也好，希腊人的知识主义、艺术主义、自由主义也好，罗马人的保守主义、黩武主义也好，犹太人的宗教主义、热情主义也好，这些都是他们在幼年时期所受教育的结果。

柏拉图曾经在他的《理想国》中对他心目中的未来的理想国家有过全面的描绘。在他所勾勒的那个理想国中，"子女教育是社会的基础"。这一见解实在高明。

人如同瓷器一样，小时候就形成了他一生的雏形。幼儿时期就好比制造瓷器的粘土，给予什么样的教育就会形成什么样的雏形。**威廉就曾经教导我们："幼儿是成人之母。"此言确实千真万确，我们谁也无法否认，成人的基**

础是在小时候形成的。

所以，对孩子的教育必须尽早开始，开始得越早，取得的效果就越显著，孩子越有可能成长为接近完美的人。

我的教育理想就在于使儿童的潜能达到十成

这就是我与人们冲突的地方所在了。**我的教育理论的核心是：对儿童的教育必须与儿童的智力曙光同时开始。而时下流行于世的主导思想是：儿童的教育应当开始于七、八岁。这种论调为人们所深信不疑。除了此一论调之外，还有一种让许多父母感到十分恐惧的观念，那就是早期教育有损于儿童的健康。**

面对这些错误观念我常常感到软弱无力。由于它们的盛行，我的教育理论，在世人的眼里简直是荒唐至极，更谈不上指望父母们会运用我的理论将一个“凡夫俗子”训练成“天才”了。

即便小卡尔经过教育后当时就已表现出许多优于常规儿童的方面，但人们仍然普遍认为，他的才能是天生的，并非教育的结果。对此，我感到实在无可奈何。儿子出生时的情形，我在前面已经描述过了，诸位可以看出他不仅不是什么天才，反而像是个痴呆的孩子。

看着儿子的这种情形，我既伤心又着急，但并没有放弃自己的主张。为了儿子在成长中不至于落在同龄人后面，我决定仍然按计划进行早期教育的试验。我想，既然这孩子天生的禀赋不太好，那么就一定要尽力使孩子的禀赋发挥出八、九成，甚至更多。要做到这一点，对儿子的教育必须与儿子的智力曙光同时开始。

那么，为什么早期教育能够造就天才呢？要明白这个道理，就要从儿童的潜在的能力谈起。根据生物学、生理学、心理学等学科的研究，人生来就具备一种特殊的能力。不过，这种能力是隐密地潜藏在人体内，表面上是看不出来的，我们称这种能力为潜在能力。比如，这里有一棵橡树，如果按照理想状态生长的话，可以长成30米高，那么我们就说这棵树具有能够长到30米高的可能性。同样的道理，一个儿童，如果按照理想状态成长，能够长成一个具有100度能力的人，那么我们就说这个儿童具备100度的潜在能力。

这种潜在能力就是天才。因此，天才并不是我们平常所认为的那种只有少数人才具有的禀赋，而是人人内心都潜藏着的。

可是，要达到理想状态，总是很不容易的。所以即使橡树具备长成30米高的可能性，要真长成30米高还是很困难的，一般可能是12米或者是15米左右。假若环境不好，则只能长到6～9米。不过，如果给它施肥等等，好好侍弄，则可以长到18米或者21米，甚至也可以长到24米或27米。同样的道理，即使是生来具备100度能力的儿童，如果完全放任不管，充其量也只能变为具备20度或者30度能力的成人。也就是说，只能达到其潜在能力的二成或者三成。但是，如果教育得好，那么就可能达到具备60度或者70度，乃至80度或者90度能力的成人。也就是说可能实现其潜在能力的六成或者七成，甚至八成、九成。

教育的理想就在于使儿童的潜在能力达到十成。只要充分发挥出这种潜在能力，我们便能做出不平凡的事业。遗憾的是，由于教育不得法，人们的这种潜在能力大都未能得到应有的发挥。这就是为何天才极少的原因所在。如何造就更多的天才呢？最重要的就是及早挖掘、诱导孩子自由地发挥出这种潜在的能力——天才。

儿童潜能的递减法则

需要提起诸位特别注意的是，儿童虽然具备潜在能力，但这种潜在能力是有着递减法则的。比如说生来具备100度潜在能力的儿童，如果从一生下来就给他进行理想的教育，那么就可能成为一个具备100度能力的成人。如果从5岁开始教育，即便是教育得非常出色，那也只能成为具备80度能力的成人。而如果从10岁开始教育的话，教育得再好，也只能达到具备60度能力的成人。这就是说，**教育开始得越晚，儿童的能力实现就越少。这就是儿童潜在能力的递减法则。**

产生这一法则的原因是这样的，每个动物的潜在能力，都各自有着自己的发达期，而且这种发达期是固定不变的。当然，有的动物潜在能力的发达期是很长的，但也有的动物潜在能力的发达期是很短的。不管哪一种，如果不让它在发达期发展的话，那么就永远也不能再发展了。例如小鸡“追从母亲的能力”的发达期大约是在出生后4天之内，如果在这期间不让它发展，那么这种能力就永远不会得到发展了。所以如果把刚生下来的小鸡在最初4天里不放在母鸡身边，那么它就永远不会跟随母亲了。小鸡“辨别母亲声音的能力”的发达期大致在生后的8天之内，如果在这段时间里不让小鸡听到母亲的声音，那么这种能力也就永远枯死了。小狗“把吃剩下的食物埋在土中的能力”的发达期也是有一定期限的，如果在这段时间里把它放到一个不能埋食物的房间里，那么它的这种能力也就永远不会具备了。

我们人的能力也是这样。最著名的例子是英国司各特伯爵的儿子。司各特伯爵夫妇携带他们的新生婴儿出海旅行，行至非洲海岸时遇到大风暴，船被巨浪打翻，全船的人都遇难，只有司各特伯爵夫妇带着儿子爬上了一个海岛。那是个无人的荒岛，岛上长满了热带丛林。司各特伯爵夫妇很快就被热带丛林里的各种疾病夺去了生命，只留孤零零的小司各特。后来一群大猩猩收养了只有几个月大的小司各特，他就跟着这班动物父母成长。二十多年后，一艘英国商船偶尔在那里抛锚，人们在岛上发现了小司各特，他已经长成一位强壮的青年，跟一群大猩猩在一起，像大猩猩那样灵巧地攀爬跳跃，在树枝间荡来荡去，他不会用两条腿走路，也不会一句人类的语言。人们将他带回英国，引起了巨大的轰动，也引起了科学家们的极大兴趣。科学家们像教婴儿那样教导小司各特，力求他学会人的各种能力，以便他能够重归人类社会。他们花费了十年功夫，小司各特终于学会了穿衣服，用双腿行走，虽然他还是更喜欢爬行。但是，他始终也不能说出一个连贯的句子来，要表达什么的时候，他更习惯像大猩猩那样吼叫。

之所以出现这种情况，就是因为学习语言的能力的发达期是在人的幼儿时期。小司各特当时已经二十多岁了，他错过了学习语言的最佳时期，他的这种能力永远消失了。

以上的事例都说明，儿童的潜在能力是有着递减法则的。即使生下来具有100度潜在能力的儿童，如果放弃教育，到5岁时就会减少到80，到10岁时就会减少到60，到15岁时就会只剩下40度了。

所以教育孩子的第一要旨就要是杜绝这种递减。而且由于这种递减是因为未能给孩子发展其潜在能力的机会致使枯死所造成的，因此，教育孩子的最重要之点就在于要不失时机地给孩子以发展其能力的机会，也就是说要让孩子尽早发挥其能力。

从儿子出生那天就开始教育

那么，怎样才能杜绝孩子潜在能力的递减呢？当然是尽早教育。但是这个“尽早”又早到什么时候呢？我的经验是，教育必须从出生那天起就开始进行。教育家们听了以后可能马上就会站出来提反对意见了，因为他们认为，这么早就开始对幼儿进行教育是有害的。但他们的这一说法没有根据。

事实上，从生下来起到3岁之前，是个最为重要的时期。因为这一时期，孩子的大脑接受事物的方法和以后简直不同。

刚出生的婴儿没有分辨人的面孔的能力，到三四个月，或五六个月，就能分辨出母亲和别人的面孔了，知道

“认生”了。但他这时并不是对面孔的特征进行了这样那样的分析之后才记住的，而是在反复的观察中，把母亲整个面孔印像原封不动地作了一个“模式”印进了大脑之中。

婴儿的这种模式识别的能力，远远超过我们的想像。对3岁以前的婴儿教育，就是“模式教育”。婴儿对多次重复的事物不会厌烦，所以3岁以前也是“硬灌”时期。婴儿依靠动物的直感，具有在一瞬间掌握整体的模式识别能力，是成人远远所不能及的。他的大脑还处在一个白纸状态，无法像成人那样进行分析判断，因此，可以说他具有一种不需要理解或领会的吸收能力。如果不把你认为正确的模式，经常地、生动地反复灌入幼儿尚未具备自主分辨好坏能力的大脑中的话，他也会毫无区别地大量吸收坏的东西，从而形成人的素质。

就像古谚说的那样：“从你小时候就可以看到你成人以后的样子。”孩子到3岁时，就已形成了长大之后一些基本性格的质素。如果我们仔细地分析所有的人，都毫无例外地能从他们身上看到他们3岁以前的环境，以及这种环境对他性格形成及质素的影响。所以，模式时期决定了人的一生。

给3岁以前的模式时期“硬灌”些什么呢？大致是两方面的内容：一方面是反复灌输语言、音乐、文字和图形等所谓奠定智力的大脑活动基础的模式；另一方面则是输入人生的基本准则和态度。

总的来说，生下一个健壮的孩子，这只是父母亲走出的第一步，以后的路更长，事情更琐碎，责任更重大。因为，从孩子出生哪天起，父母就必须担起教育者的重担。

第 3 章

我抓住了儿子智力发展的最佳时期

根据儿童潜能的递减法则，一个人在成长过程中，是有某种智力发展最佳时期的。这个最佳期非常关键，它对人一生的智力发展都起着决定性作用，千万不要错过。对儿童早期智力开发的关键，就是抓住最佳期。

孩子爱吃的食物才是最好的食物

为了尽早发挥孩子的能力，怎样对孩子进行教育呢？很简单，如果婴儿已感到了你的关心和爱抚，这就说明你已经在教育他了。这种教育训练是细小而繁琐的。孩子渴了要给他喝水，孩子饿了要给他喂奶，孩子尿布湿了要马上更换……父母要随时随地解除孩子的不愉快，以最敏锐的感觉去感知孩子的需要。能够成功地感知孩子的需要，便是父母成功的开始。这是父母和孩子建立起来的第一条成功的纽带，它会为今后的教育和训练提供良好的感情基础。

我从儿子四个月时起，在吃母乳前，先给他点蜜柑汁，后来又添加香蕉泥、苹果泥、胡萝卜泥、青菜粥等等。再过一段，开始给他喂汤，吃煮熟的鸡蛋、马铃薯等。大多数孩子爱吃谷类食物，这是他们的最好食物。然而，我儿子却不爱吃。我认为爱吃的食物就是最好的食物，所以只给他吃喜欢的食物。但是在他两周岁之前，不让他吃肉。

德国有句谚语，意思是“人的性格取决于食物”。看来，食物同人的性格确有关系。曾经有人主张“菜食疗法”，他们说选择不同的食物，就能使孩子形成不同的性格。比如：给孩子多吃胡萝卜，牙齿和皮肤就会美丽；吃马铃薯就能提高孩子的推理能力；吃菜豆就能发展孩子的美术兴趣；吃洋白菜和花菜会使孩子思想简单，成为平凡的人；吃青豆易形成轻率的性格。因此，**可以让厌恶数学的孩子多吃马铃薯，让缺乏美术兴趣的孩子多吃菜豆，没常性的孩子禁食豌豆，粗暴的孩子禁食洋白菜。**

儿子出生后的头半个月，我们坚持定时给他喂奶，喂水，使他的生物钟一开始就形成规律。直到他能吃饭后，两顿饭之间仍然只许喝水不许吃别的，免得他的胃老是得不到休息，血液也老是在胃部工作而不是集中在大脑。如果让孩子的精力只用于消化，那么大脑就不会得到很好的发展。另外，吃得过多除了阻碍脑部发育，也有害于孩子的健康，容易患上胃肠疾病。有人曾说过：“不同的胃，可以使人成为乐天派或是厌世者。”胃病会使孩子忧闷，不愉快、不幸福，胃弱者绝对享受不到健康者的幸福。因此我严禁儿子随便吃点心、零食，即使为了给他加强营养，也规定有固定的吃点心时间。

保持儿子健康的心情

人们见到我儿子时常说："这孩子体格太好，不像个天才。"看来他们仍在坚持"才子多病"的旧观念。然而，这是毫无根据的。有句谚语"健全的精神寓于健全的身体"，这是有根据的。

的确，有的天才体弱多病，但并不是天才一定病弱，这种看法是不对的。那些病弱的天才如果健康，一定会是更加伟大的天才。而且身体健康的天才人物也并不少，如：韦伯斯特、布莱恩特、亨利·比卡、卡尔芬、珍妮·林德、阿德里娜·巴奇、萨拉·本哈忒、朱里亚·乌德·浩、约翰·卫斯里、路易斯、阿尔科克等。这些人不仅身体健康，而且体格魁悟，很有力气。

儿子的健康一再使人们惊异，这是因为我从婴儿期就对他进行体能训练。

愉快是健康的关键。我首先把儿子周围的环境布置好。周围的气氛阴郁，孩子必然会消化不良，身体不健康。因此，孩子居住的房间从最初起就应是令人心情愉快的。

天气晴朗时，我和妻子把儿子带到田野里，让他眺望绿色的原野。我注意让他的身体能自由自在地活动，不把他包起来，以免妨碍他手脚自由活动。也不给他围围巾，把嘴和脸弄歪。天气好时经常让他在屋外睡觉，以便接受阳光沐浴，呼吸新鲜空气。当他在屋内睡觉时，在洁白的床上铺上鸭绒褥，便于他的手足自由活动。因为这种活动就是婴儿的运动。所以**婴儿睡觉时，决不能像布娃娃那样把他裹得紧紧的。**

卡尔6周时，长得很大，像4个月的孩子。这是我们让他经常呼吸新鲜空气，进行运动的结果。这儿所说的运动是从他两、三周时开始，让他在光滑的木棍上作悬垂运动。生物学的理论说："个体发育是整体发育的短暂重复。"所以，婴儿是可以像猿猴那样在木棍上作悬垂运动的。当然，不可勉强地做。

还有一种训练是让儿子抓住我的手指，由于婴儿与生俱来的"把握反射"，他就像吊单杠一样用力拉起自己的上身。等到两个月大反射消失时，他的胳膊已经练得相当有力，为提前进行爬行训练创造了条件。

我还培养孩子喜欢洗澡的天性。如果水温过高或过低，孩子就不愿洗澡，所以，我一开始就注意调节水的温度。我和妻子每天都给儿子洗澡、按摩手脚，这样既能发展他的触觉，又能促进血液循环和肢体的灵活。从儿子一岁时起，我就教他洗脸、洗手、刷牙，一天要洗几次，早起和晚上睡觉之前都要刷牙。他吃完干面包后，也让他刷牙，并且从小时起就教他用手绢擦鼻涕。

这样，经过营养和体能两方面的精心培育，卡尔从出生时体弱多病的婴儿长成了一个健康活泼的孩子。

从训练他的五官开始

儿子婴儿时期的一切能力，如果不利用与开发，就永远也不会得到发展。因此，我决定从训练他的五官（耳、目、口、鼻、皮肤）、刺激大脑发育开始。因为听觉、视觉、味觉、嗅觉、触觉，是人类感知外部世界的生理基础。充分刺激孩子的感觉器官，能够促使大脑的各部分积极活动。如果孩子大脑的各个功能区都能发挥出最大效能，就会成为一个聪明伶俐的人。

在五官中，首先要发展耳朵的听力，因为婴儿的听力比视力发展得要早。训练听力时，母亲的悦耳歌声是极其重要。在这方面我的儿子很幸运，他的母亲拥有很不错的嗓音。从他未出生的时候起，就经常听到母亲唱的美妙动听的民间歌曲。我虽然不会唱歌，但却经常给他朗诵诗歌。

在儿子出生6周后，我就对他轻轻地朗读威吉尔的诗《艾丽绮斯》，效果非常好。每当我朗读这部诗时，儿子便能马上静下来并很快入睡。随着诗的语调的变化，儿子的反应也在变化。当朗读马克利的《荷拉秋斯在桥上》时，他就兴奋起来，朗读坦尼森的《他的梦想》时，他又安静下来。用上述方法进行教育，儿子满一周岁时就能背诵《艾丽绮斯》第一卷的前十行和《他的逝世》了。

在此我要强调，让儿子背诗绝不都是强制性地硬灌，而是让他顺其自然地学会的。以《他的逝世》为例，由于儿子非常喜欢，他每天晚上都像做祈祷似地背诵它，因而很快就能熟练记住了。

为了使儿子形成音乐的观念，我还为儿子买来能发出乐谱上七个音的小钟，分别拴上红、橙、黄、绿、青、蓝、紫色的发带，给它们分别起名叫红色钟、橙色钟、黄色钟等。每当儿子在喂奶前醒来，我就敲这些钟给他听，并把钟慢慢地在左右移动，吸引他的注意力。儿子还不到6个月时，就能按我说的名称——青色钟、紫色钟等准确地敲了。我以为，这是同时形成声音和颜色观念的有效方法。

有效地训练眼睛，也是开发孩子智力的重要一步。儿子出生两三个星期时，我为他买了一些五颜六色、鲜艳夺目的布制小猫、小狗、小鹿，我把它们都摆放在儿子四周，时常移动玩具来刺激他的视觉。我还经常让儿子看用三棱镜映在墙壁上的彩虹。儿子非常喜欢看，当他哭时，只要看见彩虹就不哭了。

在味觉方面，除了给儿子各种味道的刺激之外，考虑到糖和盐吃多了对身体没好处，我们始终坚持吃清淡的食物。这样既可以保持他的感觉灵敏度，又可以避免养成多吃糖和盐的坏习惯。

儿子满月之后，在床上能够抬起头来了，我就用手推着他的脚丫，训练他爬行。父母一定要让孩子尽早学会爬，因为俯卧是最适合婴儿的活动姿势。婴儿爬时，其颈部肌肉发育快，头抬得高，可以自由地看周围的东西，受到各种刺激的机会也增多了，这就会大大促使大脑发育，使孩子变得聪明。

孩子的视觉发达起来以后，就要培养孩子的观察能力。这有两个方法，一是通过丰富多彩的色彩来培养孩子的观察能力。我在儿子房间的四周挂上了各种名画的摹本，还陈列了大量著名雕刻的仿制品。从儿子小时候起，我就抱着儿子识别屋中的各种物品，如桌子、椅子等，并把这些物品的名称念给他听。儿子起初只注意画的颜色，渐渐地也懂得了画中的含义。

在儿子智力的开启中，画的功能是非常重要的，能在善于绘画的父母的培养下成长的孩子是非常幸福的。由于我懂得一点绘画，就准备了许多美丽的花草和鸟兽的画给儿子看，还让他看有美丽图画的图书，并读给他听。他总是能安静地听着。这表明儿子尽管什么都还不懂，但已对我的声音和画的颜色开始感兴趣。此外，我还经常把同儿子谈话的内容绘成图画，用这种方法增长儿子的知识。

为了发展儿子对色彩的感觉，我买来了五颜六色的美丽的小球和木片，以及穿着色彩鲜艳服装的布娃娃，经常用这些玩具跟他做游戏。这很重要，因为孩子若不从小时就开始发展色彩感觉，那以后对色彩的感觉将会非常迟钝。

蜡笔也是孩子的好玩具。我经常利用它同儿子进行“颜色竞赛”游戏。我预备好一张大纸，从某点开始，先由我用红色蜡笔画一条三厘米长的线，而后，儿子也用红色蜡笔画一条同样长度的平行线。接着，我在我画的红色线之后，用青色的蜡笔接上一条长短一样的线，儿子也得用青色的蜡笔在他画的红色线后边画一条青色的线。这样连续画下去，假若儿子使用的蜡笔与我所用的颜色不一样，这一游戏就不再继续，儿子就输了。

卡尔一学会走路，我就经常带他去散步，并让他注意天空的颜色、树林的颜色、花朵的颜色、原野的颜色、建筑物的颜色和人们服装的颜色等等，这都是为了发展他的色彩感觉。

还有就是让孩子专心注意某些事物，以养成敏锐观察事物的习惯。我通过和儿子玩一种叫“留神看”的游戏来达到这一点。每当路过商店的门前时，我就问儿子这个商店的橱窗内陈列着哪些物品，并让他在记忆中搜列这些物品。儿子能说出的物品当然越多越好。如果儿子记住的物品还没有他能记住的多，就要挨批评。

这一游戏对发展孩子的记忆力也十分有效。由于坚持这样的训练，儿子还只有两岁时，一次我带他到卖雕刻仿制品的商店去，他就对店员说："你这里怎么没有《维纽斯·得·未罗》和《维纽斯·得·麦得衣齐》?!"如此小的孩子居然知道这两幅名画，使店员大为吃惊。

鉴于婴儿的注意力不易集中，我通过鲜活的物品教会儿子各种形容词。在儿子出生后第6周，我曾给他买了些红色气球，把气球用短绳扎到他的手腕子上，气球便随着手的上下摆动而上下摇动。以后，又每周给他换一个其他颜色的气球。通过这一游戏，我便能轻而易举地教给他红的、绿的、圆的、轻的等形容词，而且儿子对这一学习方式非常乐意。

在尝到这种学习的甜头之后，我还让儿子手拿贴有砂纸的木片和其他种种物品，教给他粗糙、光滑等形容词。当然，这种教育方式也有一些负面效果，如婴儿往往爱把手上拿的物品往口里放。不过，父母只要多加留心，孩子就不致养成这种习惯。

此外，尽量让孩子的手发挥多种功能，对于培养孩子的观察能力是有重要意义的。婴儿认识自己的手也要花费较长的时间。为了让孩子尽早发现自己的手，只有让他的手有事可做才可以办到。

每次当儿子醒来，小手张开的那一刻，我和妻子赶紧让他抓点东西，平时经常活动儿子的手指，经常让儿子抚摸东西和拍手掌。

另外，我总是引诱儿子观察我的手，让儿子了解许多手的功能。比如我拿着小摇铃摇动，儿子就会甩动胳膊发出响声。他八九个月时我给他一支蜡笔和一张纸，我也拿着一支蜡笔和一张纸。我在纸上画画，儿子也在纸上乱画。他其实什么也画不出来，但是他通过观察已经开始发挥手的功能了。

应该着重指出的是，我对儿子进行这样的训练时，决不强迫他去做什么。孩子是活物，自然要不断地发挥他的能量。我只是为了不让他的潜力白白地浪费掉，才努力进行各种有效的引导。由于实行了这样的教育，使儿子总有事干，他也决不会因无事可做而去吃手指头，因无聊而沮丧，甚至哭泣，相反，他从一开始就向着健康的方向成长。

从儿子15天大就开始向他灌输词汇

根据儿童潜能的递减法则，一个人在成长过程中，是有某种智力发展最佳时期的。这个最佳期非常关键，它对人一生的智力发展都起着决定性作用，千万不要错过。对儿童早期智力开发的关键，就是抓住最佳期。幼儿在3岁以前，是语言发展的最佳期，尽早教孩子语言这一点非常重要。因为语言既是进行思维的工具，也是接受知识的工具，没有这个工具我们就得不到任何知识。我们人类之所以优于其他动物而取得今天的进步，就是因为使用了其他动物所不具备的语言。因此，如果孩子不及早掌握语言，就不能很好地发挥其能力。而若能在孩子6岁以前掌握准确的语言，那么这个孩子的发展就一定会很快，而且其速度是其他孩子无论如何也赶不上的。

许多父母千方百计地注重孩子的身体发育，可是当我提出采取措施发展孩子的头脑时，他们却感到惊异，认为不可行。其实做父母的只要稍加留意就会发现，婴儿从小时起就对人的声音和物品的响声非常敏感。这表明，早期开始教孩子语言是可行的。那么早到什么时候呢？**我主张从孩子15天大就开始灌输词汇，在孩子刚会辨别事物时就教他说话。**

儿子15天大时，我们在儿子的眼前伸出手指头，儿子看到后就要捉它。刚开始时由于看不准，所以总是捉不到。最后终于捉到了，儿子非常高兴，把手指放到嘴里吃起来。这时我就用和缓而又清晰的语调反复发出“手指、手指”的声音给他听。

就这样，在儿子刚刚有了辨别能力时，我们就拿很多东西给他看，同时用和缓清晰的语调重复东西的名称。没多久，儿子就能清楚地发出这些东西名称的音来了。

孩子学习语言离不开说，同样也离不开听，父母要为孩子提供听的环境，提供说的机会。父母应该尽早与孩子交谈，因为6周大的婴儿就会对谈话的声音有所反应。这一阶段，如果照顾婴儿的人不爱说话，不去理会孩子或者和其他大人说话，那么这个孩子说话的时间就减少了。孩子也并非与大人说话他才说话，有很多时候他都会“自言自语”。父母应该抓住这个关键时期尽量跟他交流，让他的听力更上一层楼。

只要儿子醒着，我们或者跟他说话，或者轻声给他唱歌。当他眼光停留在床上吊着的彩色纸花上时，我会不厌其烦地重复着："红纸花、黄纸花……"如果我在做事，我也会用亲切的语调对他说话，告诉他我正在干什么。

应该注意的是，父母的语言要准确，清楚、缓慢，要科学地重复和再现。一旦孩子有所表示，比如微笑、踢脚或摇手，父母应该马上给予鼓励，及时回应。孩子一旦开口叫出"爸爸"，"妈妈"，父母就应该乘胜追击，让孩子保持说话的热情，全力鼓励孩子说话，为孩子制造说话的环境和材料。可以引导孩子念儿歌、讲故事。到了孩子能说双音词、短语时，父母要尽量说简短的句子，让孩子去理解体会。

在教儿子语言的过程中，我总结了一些十分有用的方法，我现在将之归纳在下面奉献给诸位：

Ⅰ、发纯正的语音

从儿子发出第一个"F""a"开始，我就不厌其烦地教他"Fa－Fa－Fa"、"ma－ma－ma"等等。当儿子发出一个声音，比如"ka－ka－ka"，我立即回应，跟着他"ka－ka－ka"。而当我教儿子发"ma－ma－ma"时，如果儿子回应了，尽管不是很清晰，我仍给予了充分的鼓励。不过使用这个方法必须听清楚孩子的发音。比如孩子发"mo－mo－mo"，你却听成了"ma"并加以鼓励，久而久之，孩子会出现发音上的混乱。

我与儿子玩这种游戏，总是在他睡醒后一小时进行。因为这时候他情绪最好，效果也更好。所以要注意选择时机。同时发音时要跟孩子充分交流，我和他母亲发音时，都让孩子看着我们的脸，当然最好是能够看到嘴的动作。

教孩子发出纯正的音一定要简洁明快，千万不要啰啰嗦嗦。比如教孩子发一个音“a”，直接教就行了，完全没必要说上一大段话，那样孩子听不清楚，就容易读错。

Ⅱ、从身边的实物开始

我们都有这种经验，学习外国语，不多记单词是不行的。但是想要多记，却往往劳而无功，很快就忘了。有一个时期，为了以后教儿子我下决心要学好英语，就把韦伯斯特的袖珍小词典揣在怀里从头背下去，但是随记随忘，并没有多大效果。以后，我在学的过程中总结出一个道理：要多记单词，还是应当多读有趣的书，在阅读中记住书的单词。同样道理，为了丰富孩子的词汇，只是填鸭式的硬灌，非但达不到目的，反而有害。

教儿子说话，确实是很难的，如果不很好地下点功夫就教不好，我通过与儿子谈论有关饭桌上的器具、室内的摆设、院子里的花、虫等，巧妙地教他新单词的发音和词义。

在儿子稍大一点以后，我和他母亲就抱着他教他饭桌上的餐具和食物、身体的各个部位、衣服的各个部分、室内的器具和物品、房子的各处，院子里的花草树木及其各部分等所有能引起儿子注意的实物名称。总之看到什么就教什么，也教他动词和形容词等，使他的词汇渐渐丰富起来。

几乎每天晚饭后我们都要带儿子出去散步。从家里到村口的教堂，一路上我看到什么讲什么，有意识地叫儿子注意：高高的树，矮矮的草丛，飞动的鸟儿，粗粗的木栅栏，路灯，楼房，马车，各种花草，各种人，还有忙碌的小蚂蚁……儿子被逗引得对外面世界充满好奇，一出门就指这儿看那儿，咿呀不休，说话也进步快多了。

当然，在实行这一教育时，也要注意循序渐进，先易后难。在开始时，教一些孩子容易发的音和一些非常简单的话，只要每天坚持练习，持之以恒，就必有所获。

Ⅲ、靠讲故事来增强与世界的亲和力

当儿子稍微能听懂话时，我和他母亲就天天给他讲故事。在我们看来，对于幼儿，没有比对他讲故事更为重要的了。因为孩子是这个世界的生客，这个世界对他是一个一无所知的世界。所以应该尽早让他知道这个世界，越早越好。为了培养儿子对这个世界的亲和力，最好的做法当然就是讲故事了。讲故事还可以锻炼儿子的记忆力、启发想像、扩展知识。传授知识，死死板板地教，儿子不易记住。用讲故事的形式教，儿子就喜欢听，并且容易记住。所以，教育孩子运用讲故事的方法是最有效的。

除了给儿子讲故事，我还选择好书，清晰而又缓慢地读给孩子听。我在这方面给诸位的建议是，给孩子读圣经。圣经是举世无双的，大家都公认，像这样的名著实在罕见，所以把它读给孩子听是最好不过的了。由父母清晰地读给孩子听，这是教孩子学好语言的最佳方法。此外，也有助于培养孩子的优秀品质。

还有，讲故事不能只让孩子被动地听，应该要他复述。如果不让孩子重复，就不能完全达到讲故事的效果。

在儿子还不会说话时，他母亲就给他讲希腊、罗马、北欧各国的神话和传说。等他会说话以后，母子两人就表演这些神话。我们向儿子讲述圣经故事时，有的还用戏剧的形式演出。

这样不断地进行生动的教育，终于有了成果。儿子到五、六岁时就能毫不费力地记住三万多个词汇，这即便对于一个15岁左右的孩子也是一个惊人的数字。

Ⅳ、尽力丰富词汇

教育孩子语言的最重要之点就是尽快丰富孩子的词汇，让他们懂得道理。儿子的词汇训练一直受到我们重视。凡是他还不认识的事物，我们都要求女佣不用“这个、那个”的说法，只有对儿子已经记熟了的事物，才教他用代词称呼。另外，在给儿子讲道理时，其中总会遇到一些他不懂的词汇。这时，我们都是随时给他解释，决不稀里糊涂地绕过去。

当然，儿子这么小，那些难的词汇解释了他也听不懂。然而这一行为的意义并不是让他立刻就记住或听懂，而是用解释生词的行为本身，教给儿子学习的态度和方法。如果大人在传授知识的时候遇到难点就绕过去，孩子就会养成“不求甚解”的坏习惯。

德国有许多通俗易懂的童谣，我们当然不会视这些优秀的文化遗产而不顾。我们从儿子小时就教给他这些童谣，并且让他记住了它们。因为这些童谣的语调好听易记，所以大大有利于丰富儿子的词汇。不仅如此，儿子的智力也在阅读这些童谣的过程中很快地发展起来。儿子不到4岁就开始读书，这些书主要是以歌词形式写成的。

Ⅴ、反对教孩子不完整的话和方言

我反对教给孩子不完整的话和方言，比如教孩子“咂咂”(乳房)、“丫丫”(脚)、“汪汪”(狗)之类的。这些语言对孩子语言的发展有害无益，这一点要特别引起父母们的注意。诚然，孩子学不完整的话和方言会更容易一些，因此许多父母也就认为孩子的语言从这些半截子话学起并无大碍，但是我经过试验发现，孩子在两岁左右时，如能缓慢、清晰地教他说正式的语言，一般来说孩子都可以发出音来。

如果儿子本来可以学会的东西，我都故意不教给他，这在教育上就是极其愚蠢的了。正如雷马克所说的那样，一个东西如果不使用，就难以评价它的作用，同样，如果不教给孩子他们本来能够学会的东西，那么，他们的那种潜在能力也就得不到发展。世界上再也没有比这更愚蠢的事了。

事实上，对幼儿来说，单会说"汪"或"丫"等词汇虽然相对要容易一些，但这也同样会给他们造成负担。对孩子的语言学习来说，完整规范的语言是他们迟早要学的语言，而那些半截子语言却是他们不久就要抛弃的语言。让孩子学两套语言，这势必给孩子造成双重负担。世上确实再没有比这更不经济的事了。孩子本来可以用那些白白浪费掉的精力去学习一些其它知识的，但他们在这种错误的教育下，只得付出如此宝贵的光阴。因此，做父母的，绝不应当教给孩子一些不完整的话，以免浪费时间。

也许有人说，教给孩子说这种话非常有趣，但你们是否想过让孩子付了如此高昂的代价是否值得?！教给孩子不规范的语言的害处还不止于此。社会上有许多孩子，甚至到了十四、五岁（甚至已长大成人），有的话还发音不清楚，这就是父母教育不当的结果。在今天的学校里，教员为纠正学生的这些发音毛病所付的消极劳动，往往比他们用于积极劳动所花的时间还要多，这实在可悲。不用请教心理学家，就连任何一个普通人都知道，教师用在纠正学生已经养成的毛病上所花的时间比起教他们新的知识所花的时间还要多。

但是，**社会上竟有这样的父母，他们以孩子发出的错音、说出的错话为乐。他们不仅不去帮助孩子纠正，反而将错就错，随声附合，这是大错而特错的。因为这样将使孩子永远无法发觉自己的毛病，以致习惯成自然，难以纠正。**

能正确运用语言意味着能正确地思考。如果让孩子从小就使用似是而非的语言，那么孩子的大脑就难以训练好。

我从儿子出生时起，就尽可能地对他说准确而漂亮的德语。在向他灌输语言时，我认为俗语也很重要。因为有的意思，不用俗语就不能表达得很完美。我们的思想在发展着，新观念也在不断地产生着，表现这些新观念的俗语也必然增加，所以排斥俗语就会落后于时代。

然而，我绝对不教给儿子不完整的话。这种完整的语言教育从一开始就起到了很明显的效果。儿子还不到一岁时，有位朋友对他说："卡尔，我想看看你的汪汪。"他纠正说："这不是汪汪，是狗。"这位朋友对此大为惊讶。

Ⅵ、用明确的词汇来"武装"清晰的小头脑

在语言教育中，我非常强调从一开始就要让孩子学到标准的语言。为此，我总是反复清晰地发音给儿子听，耐心地教他标准德语。只要儿子发音准确，我就摸着他的脑袋表扬道："说得好，说得好。"当儿子发音不标准时，我

就对妻子说："你看，你儿子不会说什么什么……"于是妻子就回答说："是吗？我儿子连那样的话都不会说？"这样一来，尽管儿子还很小，也激起了他拼命学标准语音的劲头。经过我们的不懈努力和执着坚持，儿子从小的发音就非常准确。

在词汇学习上，我的信条是：要想有清楚的头脑，首先必须有明确的词汇。为此，我不是只让儿子停留在孩子式的表现方法上，而是教他逐步了解和使用复杂的措词，并且力求措词生动准确，决不使用暧昧的措词。为了要做到这一点，我认为家人一定要相互配合，不要一个在严格要求，一个却纵容孩子。为此，我和妻子默契配合，而且以身作则，在平时坚持力求发音标准，语言规范，精选恰当的词汇。

我不仅对妻子，对女仆和男仆都严禁他们说方言和土话。因为儿子与仆人们的接触非常频繁，易受他们的影响。我只许儿子记标准德语，因为只要能记住标准读法，就可以让儿子不费力气地读懂书上写的东西。

方言和土语在读音上与标准德语差别甚大，而且在语法上也不够规范、标准。在这种语言环境中，小孩子很容易受到不良影响，从而给学习标准的语言带来一定的障碍，这种障碍的跨越是需要时间的，而一过了学习语言的最佳年龄，有些人一辈子也实现不了这种转变。我家里有一个老仆人，忠心耿耿地为我服务了几十年，我对他也非常尊重与信赖。也许是年龄偏大，他经常满口土语。儿子出生以后，我多次要求他讲标准德语，但他说了一辈子的土语，乍改为说标准德语就说不好，总是说得不伦不类，比他说土语还糟糕。当时儿子正处在学习语言的节骨眼上，我虽然不情愿，但不得已只好忍痛将这位老仆劝退回家。每次想起他我都很难过，但是看到儿子在语言方面取得如此好的成绩，我又觉得一切牺牲都是值得的。

在教儿子语言时，语法不是最重要的，特别是对孩子来说，更没有多大必要。因此，在儿子8岁前我并未专门教过他语法，而是通过听和说来教。

孩子其实都喜欢说话，从小时起，他们就常常一个人把学到的单词反复地说着玩。我就利用孩子的这种倾向，把儿子能理解的有趣的故事，用精选的词句组成短文，让儿子记住。他不仅能很快地记住，并总是高兴地复述着。以后，我把这些短文翻译成各种外国语让他说，他也能很快记住。根据我的经验，在人的一生中，一至五岁可能是最有语言才能的时期了，父母千万别让这种才能白白枯死。

为了尽早开发儿子的记忆力、想像力和创造力

我在前面做了那么多，都是为了能尽早开发儿子的记忆力、想像力和创造力。儿子今后取得成就与否，跟这三方面都有重大的关系。但是对孩子切忌进行机械的训练，那样不会有任何效果，而应该采取一些灵活有趣的办法。

一位科学家说过：一切智慧的根源在于记忆。根据“用进废退”的原理，早期教育可以使记忆力发展的时间大大提前。尤其是婴儿时期，每天重复输入相同的词汇，

不断地刺激孩子大脑里的词汇库，可以促使孩子的记忆力迅速发展。

为了使儿子牢记神话和圣经中的故事，我常常把有关内容编写在纸牌上。后来教他各国的历史时，也采用了同样的方法。这一方法概括起来就是，起初用讲故事的方法教，而后把它们编成纸牌，采用游戏的方式教。有时我们还一起读一本有趣的书，并写出要点。

儿子很小时就把各种事情写成韵文来记忆，因为韵文比散文容易记。在儿子 8 岁时，我曾用骸骨教他生理学。一次，他乘我外出旅行之机，就用韵文写下了已记住的骨、筋肉和内脏的名称。我回来时，大为惊奇。

对历史上事件的教育，我多在儿子读过之后于用戏剧形式演出，这样就容易记住了。而学校教的历史课，完全是照搬年代表，味同嚼蜡，毫无趣味，学生厌恶它，从而根本记不住也是理所当然的了。

在创造力方面我鼓励儿子多动手、多思考、多提问题。不论儿子提出什么样的问题，我都耐心地给予解答。

在儿子 1 岁多时，如果拿着某种材料或玩具聚精会神地玩，而不是拿起来就扔掉，我们就及时夸奖他，并和他一起，启发他尽兴地玩。如果儿子用了一种出人意料的方法玩玩具，我们不光夸奖他，还要鼓励他多想出几种方法来。

儿子 2 岁时，他母亲每天像上课一样讲故事给他听。他母亲还有一套吸引他不断听下去的办法，就像报纸上连载小说那样，他母亲每天讲到“且听下回分解”的地方就打住，下面的故事情节则让儿子自己去想像创造。儿子不得不为此而挖空心思，并对可能的情节作出各种猜想。第二天，母亲在讲故事前，先让儿子说他是怎么想的，然后才接着讲。如果儿子自己猜中了，我们就高兴地欢呼，如果儿子没猜中，他母亲就夸奖说："哎呀，我儿子编得比故事本身还好呢！"儿子的创造力就在这种训练中不断培养起来。

至于想像力，我们的幸福有一半以上靠的是想像。不会想像的人是不懂得真正的幸福的。贝鲁泰斯曾说过："想像是人生的肉，若没有想像，人生只不过是一堆骸骨。"

那种没有风趣的人干什么都只论事实，排斥想像。他们甚至把圣诞老人和仙女从家里撵走。他们的这种干巴巴的生活态度也传染到对孩子的教育中。他们认为历史上的传说和不合情理的儿歌对儿童有害无益，他们更不懂得传说和儿歌能够陶冶孩子的品德。事实上，即使大人的生活，没有想像也是无趣的，何况孩子们。因此，从家庭里撵走圣诞老人和仙女，就如同撵走伴侣和抛弃玩具一样，对孩子来说是残酷无情的。何况，孩子之所以懂得爱惜鸟兽，具备了有关道德的一些初步知识，从小就立志要具有远大的理想，都是受传说和儿歌的影响所致。

如果一个人在小时候想像力得不到发展，那么他非但不能成为诗人、小说家、雕刻家、画家，而且也成不了建筑家、科学家、数学家、法学家。尽管有人认为当数学家和科学家用不着想像，但这是不符合事实的。想像对于任何人都是必要的。

因此，**凡是年幼时充分发展了想像力的人，当他遭到不幸时也会感到幸福；当他陷于贫困时也会感到快活。所以说，世界上最不幸的人就是不善于想像的人。**

有人认为神话没有任何价值，予以排斥，但我却非常欢迎它们。据我观察，同样是眺望天空的星星，懂得神话的孩子的感触与不懂神话的孩子就完全不一样。另外，由于孩子缺乏社会生活经验，不懂得善恶的区分。为了让他们分清善恶，最好的方法就是给他们讲述传说和儿歌。

我的家中从不排斥仙女，我经常给儿子讲传说和唱儿歌，使他知道大自然是仙女居住的可爱世界。因此，他从小就爱大自然。同时，他还从传说和儿歌中学到了许多优秀的道德和品质，如正直、亲切、勇敢、克己等。

为了发展儿子的想像力，我不仅向他讲述已有的传说和儿歌，还讲述自编的故事，进而让他自己讲述自编的故事，并鼓励他把故事写成文章。

我还和儿子各交了一个想像的朋友，一个叫内里，另一个叫鲁西。当我们两个单独在一起时，我们就请出两个想像的朋友，这样我们可以四个人一起玩。所以，儿子在任何时候也不感到无聊、苦恼。令人发笑的是，有一次保姆说："先生，你的儿子有些怪，他好像是在和幽灵玩"。

有的父母因不了解孩子们的想像世界，当孩子用木片和纸盒建造城市、宫殿玩时，他们为了收拾屋子，就往往不给孩子打招呼就破坏了孩子的游戏。这就无情地摧毁了孩子的精神世界。

这一举动的严重性在于，这不仅剥夺了孩子的幸福和游戏的欢乐，而且有碍了孩子将来在为诗人、学者、发明家……父母在教育中往往因为轻率的举动而毁掉天才。

第 4 章

正确教育孩子的方法

我教育儿子的真正目的，就是要为他打开智慧的天窗，使他能够敏锐地观察到社会上的坏事，洞察出社会上的矛盾和缺陷。我们人类的理想，决不应当像亚当和夏娃那样，仅仅满足于在不知自己是裸露着身体的情况下过快乐的天堂生活。为此，我决不能让儿子成为精神上的盲目乐观主义者。

用游戏的方式进行教育

经过从婴儿期就开始的教育，卡尔显得比同龄的孩子更聪明，更机灵，反应更快，各方面的能力也更强。我认为他在智力上已经准备好了，所以从他二岁时就开始教他认字，但这决不是强迫性的。**“不能强迫施教”**，这是我主张的教育法的一大原则。

我认为不管教什么，首先必须努力唤起孩子的兴趣。只有当孩子有了兴趣时，才能取得事半功倍的良好效果。而唤起孩子兴趣的最好办法是用游戏的方式进行教育，这种方法的效果在儿子的早期训练里已表露无遗。

游戏是动物的本能，所有动物都喜欢游戏。小猫戏弄老猫的尾巴，小狗和老狗互相咬架，这是为什么呢？根据动物学家的研究，小猫戏弄老猫的尾巴，是为了发展它将来捕捉老鼠的能力；而小狗和老狗互咬也是为了发展它将来能咬死野兽的能力。显然，动物训练下一代的技能都是在游戏中进行的。

我对儿子的教育都是采用游戏的方式进行的。首先，当他满六个月时，我就在他的房间四壁大约一米高的地方贴上厚厚的白纸，白纸上贴上用红纸剪下的文字和数字。在白纸的另一块地方，有秩序地贴上简单的单词，如：猫、狗、老鼠、肥猪、兔子、帽子、席子、桌子、椅子等等。请注意，这些单词都是名词。在另一处并列贴上从1到10的十行数字，在某处画上乐谱图。

因为婴儿的听觉比视觉发达，我决心对儿子从听觉入手教ABC。当我指出ABC字母时，我妻子就像唱歌似地唱给儿子听。当然，因为卡尔毕竟只是6个月大的婴儿，所以，他的感觉就像听耳边风似的。但我们不泄气，天天给他听，给他看，终于奏效了，儿子对字母有了深刻的印象，这使他后来学认字时非常轻松就学会了。

由于有了前面的经验，在教儿子认字时我也采用了这一套方法。

首先为了唤起儿子识字的兴趣，我施用了一些小孩还无法识破的“小伎俩”。我给儿子买来很多儿童书和画册，非常有趣地讲给他听，用一些带鼓励的话语来激发他幼小的心灵，像“如果你能认字，这些书你都能明白”之类的话语。有时，我则干脆就不讲给他听，故意对他说：“这个画上的故事非常有趣，可爸爸现在很忙，没有功夫给你讲。”这样一来，反而激发和唤起了儿子一定要识字的想法和心愿。待到他有了这种强烈的认字欲望以后，我这才开始教他识字。

接着我就用前面用的那种方法教他。我先去打字行，买来十公分见方的德语字母印刷体铅字、罗马字和阿拉伯数字各十套，再把这些字都贴到十公分见方的小板上，以游戏的形式教学。先从元音教起，接着以“拼音游戏”的形式在玩耍中教儿子组字。具体教法是这样：首先用画册让他看猫的画，同时教猫这个词的拼法，然后指着墙壁上的词，反复发猫的音给他听。接着从文字盒中选出组成这个词的所有字母，用这些字母拼写出猫这个词。当然，这些游戏都是由我和儿子一道以游戏的方式进行的。在儿子学习时，我在边上给他以表扬和鼓励，而且要学会这些单词也让他适度地、循序渐进地反复练习了好几天。

我还制作了许多小卡片，在上面我画上憨态可掬的小动物、房子、树木等，在画面下标出名称。我把这些卡片贴在餐厅、厨房、客厅和儿子卧室的墙壁上，让儿子可以常常看到，以加深印象。我们还常常利用这些卡片和儿子做游戏、编故事。每次出外散步，不论看到什么，马车、教堂、河流等，我看到什么就要儿子说出该怎么念，怎么拼。这些方法很有效，儿子认识的字越来越多。

儿子很快就学会了读，也就是说，他在没有学习所谓读法之前就掌握了读。而一掌握了读法，他就能掌握更多的词汇，再加上他学的是标准德语，所以他很容易就能读书了。

如何教儿子学外国语

对儿子的语言、识字教育都取得了成功，但我并不满足，我早已决心让儿子尽可能早地打下学会一门主要外语的基础。因为教给孩子多种语言，有利于孩子正确地理解词义和进行思考。从先易后难的原则出发，我决定让儿子在掌握本国语读法的基础上，学习相近的外国语。

在儿子能用德语自由地阅读后，我又马上开始教他学法语，那时他才6岁。由于运用了恰当的方法，只花了一年的时间，卡尔就能用法语自由阅读各种法文书籍了。当然，他之所以学得这样快，首先还是因为他的德语知识非常丰富。

卡尔学完法语后，又马上开始学意大利语，只用了6个月的时间就学会了。这时我认为，可以教他拉丁语了。

学校里一般都规定学习外国语必须首先从拉丁语学起。但我觉得这样做过于勉强，只有从与德语最相近的法语开始学起才是合乎逻辑的，所以就采取了先易后难的顺序。学拉丁语对于十几岁的孩子来说也是相当难的，被视为所谓头痛的语言。因此，我是经过了相当的准备以后才开始教他的。为了提高儿子的兴趣，在教拉丁语之前，我先把威吉尔的《艾丽绮斯》的故事情节、高超的思想、漂亮的文体等讲给他听。我还对儿子讲，如果要想成为一个卓越的学者，就一定要学好拉丁语。儿子的好胜心被激发起来了。

在他7岁时，我常常带他去参加莱比锡音乐会。有一

次在中间休息时，儿子看着印有歌剧歌词的小册子对我说："爸爸，这既不是法语也不是意大利语，这是拉丁语。"我趁机启发他："不错，那么你想想看，它是什么意思。"儿子从法语和意大利语类推，基本明白了大意。他高兴地说："爸爸，如果拉丁语这么容易，我很想早点学。"

到这时我觉得条件已经成熟，才开始教他拉丁语，只9个月的时间卡尔就学会了。

然后卡尔开始学英语，学完英语又学希腊语，前者用了3个月，后者用了6个月。

儿子学希腊语比较有意思，整个过程基本上就是一个阅读巨著的过程。他学希腊语是从背诵常见的单词开始的。我为他做了希腊单词和德译卡片，他首先从这些卡片中学会了常见的单词。

常握了一些单词后，他立即转入译读。最初，他读的是《伊索寓言》，接着又读了色诺芬著的《从军记》。同教授其他几种语言一样，我并不系统地讲授语法，只是随时教他必要的东西。

当我工作的时候，我让儿子坐在自己桌子的旁边学习。当时德国只有希腊拉丁辞典，没有希德辞典。所以，儿子在学希腊语时，不得不一个单词一个单词来问我。虽然工作很忙，但我对儿子的提问，从不发脾气，一面耐心地教，一面从事自己的工作。

这样一路学下来，卡尔又读了希罗多德的历史学巨著、色诺芬著的《宝典》、《苏格拉底言行录》、提奥奇尼斯和莱尔丘斯著的《哲学家列传》，以及洛西昂的著作等。他7岁时，读了柏拉图的《对话集》。但是他告诉我说

《对话集》的内容没有看懂。

学完所有这些语言时卡尔刚8岁，他已经能够读荷马、波鲁塔柯、威吉尔、西塞罗、奥夏、芬隆、弗罗里昂、裴塔斯塔济、席勒等德国、法国、意大利、希腊、罗马等各国文学家的作品了。

一般人都畏惧学习外国语，会六国语言，这对他们来说是需要花上一辈子的精力才能完成的事。卡尔在这么小的年纪，用这么短的时间就做到了，这里面有什么秘诀吗？并没有什么秘诀，只是我在教授儿子外国语的过程中总结出了一些经验。

Ⅰ、用"耳"学外语

现在以拉丁语为例。拉丁语是学生们的一项重要基本功，要想研究学习就离不开它。而且一旦学会拉丁语，就容易学会法语，西班牙语、意大利语。但学生们差不多都讨厌拉丁语。在我看来，之所以出现这种情况是由于他们没有打下学习拉丁语的基础。鉴于此，我认为有必要尽早开始给儿子打好学习拉丁语的基础。因此，在儿子的摇篮时期，我就开始教他拉丁语。

诸位一定认为我的说法前后矛盾，同时也奇怪我如何能够教导一个躺在摇篮里，除了吃和睡什么也不懂的婴儿。其实很简单，就是让他听。由于婴儿善于用耳而不善于用目，所以我就利用听的办法教儿子拉丁语。每当儿子睡醒以后情绪比较好的时候，我就用清晰而缓慢的语调对他朗诵威吉尔的《艾丽绮斯》，这是一部出色的叙事诗，同时也是一首极好的摇篮曲，儿子非常喜欢，每每听着听着就入睡了。因为有这样好的基础，所以儿子学习拉丁语

时感到很轻松，并且很快就能背诵《艾丽绮斯》。

学生们之所以讨厌拉丁语，完全是学校里的那种用图表和规则教拉丁语的方法所致。这种机械的方法是应该受到批评的。有一次，卡尔同某位教拉丁语的教师交谈，结果那位教师一点都听不懂，而卡尔当时仅仅8岁而已。学校教拉丁语的弊病是，学过拉丁语的人只能看书却不会说话。

Ⅱ、与其背莫如练

我从不系统地教授语法，因为即使教给孩子语法，孩子也不会懂的。诚然，对大人来说以语法为纲来学习外语是有效的。但是对孩子则必须采用“与其背莫如练”的方法。因为任何一个孩子，不都是用这样的方法学会了本国语言的吗?

教语言时，通俗易懂的诗最易于记忆，所以我总是先教些诗歌，使儿子熟悉这种语言的感觉。掌握了一些基本的东西后，我就要求儿子运用到日常生活中来。一旦教哪种语言，我平时就用这种语言跟他交谈。儿子若是遇上不会表达的地方，用德语跟我说话，我就不理会他，逼他自己想出表达的办法来。同时我还要求他看所学语言的书籍，因为要学好一种语言的最好办法就是看懂该种语言的书，任何语言最精华的部分都在书里。遇上不懂的单词时，我就让他自己去查辞典。由于开始儿子只学了一些常见的单词，因此频繁地查辞典，后来查辞典的次数越来越少，就表明他已经掌握那种语言了。

此外，我还鼓励儿子与外国孩子通信，起初是和一些外国朋友的孩子，后来范围渐渐扩大到学习希腊语时，他开始给一个希腊孩子写信，不久，从希腊就来了回信，儿子高兴极了。从此，他对希腊很感兴趣，便读了许多有关希腊的书。接着他又和意大利、英国的孩子通信了。他对这些国家也很感兴趣，还兴致勃勃地研究起他们的地理和风俗习惯。就在通信的一来一往中，儿子的外国语长进了不少。

Ⅲ、用不同的语言去读同一个故事

读过一遍小说，就不想再看了，而儿子却乐意反复多次地听相同的一个故事。我抓住这一秘诀，在教外国语时，让儿子用各种不同的语言去读同一个故事。比如在读安徒生童话时，既让他用德语读，又让他用法语、意大利语、拉丁语、英语和希腊语读。这一方法行之有效，儿子将各种语言融汇贯通，学习起来又轻松又快捷。

Ⅳ、弄清词源

要学好外语，弄清词源是很有益的。为此，我让儿子从小就这样做，并做了好几本笔记。比如为了记住某一个拉丁语单词时，我总让儿子去调查由此产生出了哪些现代词，并把结果记在笔记本上。这样，他既学会了那个拉丁语单词，又记住了由此派生的现代词，对语言发展变化的规律则也有了直观的认识，可谓一举多得。

Ⅴ、最有效的办法是各种游戏

我要在这里再次提醒父母们，孩子学习语言的能力是惊人的，关键在于是否运用了最有效的教学方法。我认为最有效的办法是在学习中与孩子做各种游戏。

在儿子刚学会说英语时，我就把“您早”这句话用十三国语言教他，儿子很快就学会了。而且学习方法也很有趣，每天早起，我让儿子对着代表十三个国家的十三个玩具娃娃，用各国的语言说“您早”。根据孩子爱玩、好动的特点，我和他利用语言做各种游戏，比如讲故事、说歌谣、猜谜语、比赛组词造句、编动作说谚语、编故事等等。如此生动地学习，卡尔怎么会学不好呢？

抓住儿子模仿我用笔时教他写字

在用写有字母的小木板和做游戏的方式教会儿子拼音后，我又开始教他拼写。由于孩子什么都要模仿大人，当儿子也模仿我要用笔时，我便抓住这一机会，教他写字。因此，我努力教会儿子使用笔的方法。孩子刚开始用笔时是笨手笨脚的，甚至要打翻墨水，我往往因此而不耐烦。一段时间后，我的耐心终于有效，孩子就很快学会了。

卡尔第一次提出要用笔写字时，我没给他，而是给的炭笔，并鼓励他好好写出自己的名字。他将名字写出后，让他母亲看了大吃一惊。看到这个效果，儿子也非常高兴，拼命练习写字这说明雄心大志对于孩子来说是一种极大的力量。经过几天的努力，他终于能够以漂亮的笔法写出自己的名字。这时他才4岁。儿子5岁时，有一次我们全家出外旅行住旅馆，我让他自己在登记簿上签名，这当场让旅馆老板惊讶不已。

儿子刚一学会简单的句子，我就让他天天写日记。这样，卡尔从4岁开始就能记日记了。每当下雨刮风不能在室外玩时，他就拿出日记，回想幼年时代的情景，感到很有乐趣。

写到这里，请允许我说几句题外话。其实**抚育孩子时，父母自己更应当记日记，以记载孩子的进步和发育情况。这也是留给子孙后代的重要遗产，使他们在培育孩子时，能够从中得到教益。**

比如，教给了孩子一个什么新词，孩子开始使用了一个什么新词，孩子对什么感兴趣，有什么不好的表现，因为什么责备了孩子，又因为什么表扬了孩子，孩子表现出了什么智慧，都教给了孩子哪些知识等等，这些都是要记录的内容。有了记录，就知道哪些话教过了，哪些话还没教过，孩子已经懂得了什么，还不知道什么等等。这样，便于有效地进行教育。通过这个办法，还能培养孩子的好习惯，防止沾染恶习，也更利于将预先制定的计划一一落实。如果不记录，就如同航海者没有航海日志一样，预定的计划都要落后。乍看起来觉得这样做是很麻烦的，但实际做做看，并非那样麻烦，相反会发现这是很有趣味的。人们每天欣赏牵牛花的生长都感到兴致浓厚，何况注意留神自己的孩子的成长呢？只要试着去做，就一定会有兴趣的。而且凭借对孩子一天天的成长的记录，也能更好地品味到这种天伦之乐。

记这种日记的另一好处是可以使父母保持热心和坚韧不拔的精神。由于现今社会上并没有人去监督父母们培养孩子，所以即使该做的不做，计划好的事不实行，任意变更计划，也决不会有人来制约的。**由于父母们有绝对的自由，所以往往容易忽略自己的职责。一本育儿日记能够随时对父母发出忠告，要以满腔热忱和坚韧不拔的精神，老**

老实实地努力按照预期计划实施对孩子的教育。

我如何培养儿子多方面的兴趣

诸位看到我这么努力地对儿子进行教育和训练，一定以为卡尔的生活是单调乏味的。事实并非如此，他的生活过得很丰富，因为我一直注意引导他在多方面获得乐趣。

在孩子的乐趣中，最重要的是读书。不过应特别注意书的选择，一个人喜好什么样的书，往往决定于他第一次读的是什么书，而且幼年时期读的书往往能左右这个人的一生。

在引导儿子读书上，我采用了一些小伎俩。孩子们最喜欢听人讲故事，特别是年龄较小的孩子。我发现讲故事的重要性，它不仅能丰富孩子的知识，而且能够成为引导孩子看更多书的桥梁。我在讲故事的时候，总是绘声绘色，运用夸张的表情、形象生动的语言，并辅之以变幻不定的手势，甚至有时候站起来模仿故事人物的身形以不断推动情节发展。儿子听得如痴如醉，常常也禁不住跟着我手舞足蹈。但我总是讲到最有趣的地方就打住，并告诉儿子这个故事在哪本书中，鼓励他在阅读中寻找乐趣。

卡尔的乐趣不至于此，他的乐趣还可在音乐中找到。

诗人歌德曾说过："为了不失去神给予我们的对美的感觉，必须天天听点音乐，天天朗诵一点诗，天天看点画儿。"因此，让孩子接触音乐是很重要的。有人说，善于唱歌的人比不会唱歌的人寿命长，这是由于善唱者心情总是快活的。神经质的孩子养成唱歌的习惯，就会快活起来。

我们不能使每个人都成为音乐家，也没有这个必要。然而，人生在世，完全不懂音乐则决不是幸福的。即使自己不会，起码也要会欣赏。因此，应设法教给孩子一些音乐。有人认为，既然不想使孩子成为音乐家，教他音乐就是浪费时间，这种认识是错误的。没有任何艺术的生活，就如同荒野一样。为了使孩子的一生幸福，生活内容丰富多彩，父母有义务使他们具有文学和音乐的修养。

我个人认为，人生在世懂得音乐是非常幸福的。我从儿子小时起，就努力使他形成欣赏音乐的观念。前面已经介绍过，在儿子出生后不久，我就买来能发出1、2、3、4、5、6、7七个音的小钟敲给他听，并让妻子唱给他听。

当儿子学会ABC的读法后，我便教儿子乐谱的读法，并常常作这方面的游戏。具体的玩法，就是在屋中把东西藏起来让他找。这是儿童常玩的游戏，不过我在此还利用了钢琴，这样就使游戏变得更加充满欢乐色彩。例如：当儿子一走近藏东西的地方时，我不是说“危险，危险”，而是渐渐弹出低音。若是走远了，就渐渐弹出高音。儿子如果不注意声音的高低，就很难找到藏起来的东西。这一方法对训练孩子的听力很有效。

孩子都喜好节奏，我就从这方面开始训练。

我从儿子尚不会说话时起，就用拍手的方式打拍子让他看。不久，买来了小鼓，教他按照拍子敲打。过了一段时间又买来了木琴，让他敲打，并且开始作弹琴游戏。我用手指出墙上的乐谱，他按乐谱摁琴键。不久，他已能用钢琴单音弹奏简单的曲调了。

儿子从小就爱好摆弄钢琴等乐器，我抓住这个机会鼓励他练习。同时，他只要得到我的一些帮助，就能自己编出各种曲调。儿子把自己创作的许多曲子记在笔记本上，这和幼年时代的日记一样，将来拿出来看看，也是很有乐趣的。

在教儿子练琴时，我反对只注重技巧的方法。我的一位朋友，曾为孩子聘请过一名小提琴教师。一年之中他只教孩子练习技巧。致使这个孩子不仅没有学会音乐反而开始厌恶音乐。而教儿子小提琴的教师则没有沿用这个教法。儿子练习小提琴时，我总是用钢琴给他伴奏，所以他能很高兴地学。因而，他弹钢琴、拉小提琴都很出色。

怎样唤起孩子的兴趣和让孩子提出问题

尽管卡尔有这么多的兴趣，从事着各种活动，可带有偏见的人们还是认为他的生活除了坐在书桌前面，其他什么也不干。他们甚至认为，他可能除了学究式的知识外，还会点外语，其他就一概不懂了。

可是实际情况并非如此。了解我儿子的人都知道，他坐在书桌前的时间比任何一个少年都少。事实上，他把大量的时间尽情地花费在了玩耍和运动上，是一个非常健康活泼的孩子。在学习方面，他除了学习外语以外，还轻松顺利地学习了植物学、动物学、物理学、化学、数学等。

诸位一定想知道我到底使用了怎样独特的教育方法，才能使孩子能这样既轻松愉快又学到如此丰富的知识。其实很简单，我的教育秘诀在于：唤起孩子的兴趣和让孩子提出问题。

儿子长到三、四岁时，我每天早晨开饭前都要带他出去散步一、两个小时。但是这种散步不只是蹓蹓跶跶，而是一边谈话，一边蹓跶。比如我总要抓住几个有趣的问题，讲给儿子听。他的思维活跃，想像力也特别丰富，能够顺着我的话音，一会儿谈航海去印度和中国；一会儿逆尼罗河而上，一会儿到白雪皑皑的北极探险；一会儿又在芳香浓郁的锡兰森林中徘徊。有时，还追溯到几千年以前，跟随斯巴达人攻打特罗伊城；有时坐在奥德修斯的船上，在未知的海洋上迷航；有时又跟随亚历山大的军队远征西洋。儿子的地理与历史知识就是在散步中打下了基础。

更多的时候我们走在植物繁茂的山间小道上，不时从草丛里挺出一些不知名的野花。我顺手掐起一朵野花，叫道："小子，快过来，我们一起看看这朵花。"儿子好奇地凑近。我一边解剖这朵花，一边向他讲解花的生长特点和作用。我告诉他："这是花瓣，这是花蕊、花萼，还有随风飘洒的花粉，没有它，花儿最后便结不出果实……"有时草丛中会突如其来地蹦出一只蚱蜢，我眼疾手快地一把逮住它。这时候，我们两个就蹲下来，头碰头一起研究这只昆虫。我会把蚱蜢的身体结构、习性、繁殖等知识尽可能地传授使儿子。就这样，我通过一块石头、一草一木等实用素材来对儿子进行最生动的教育，这比学校里那些死板僵化的动植物课程直观多了。

其实只要有心，自然界的一草一木都可以随时成为教育的素材，自然界新诞生的一切都可以成为孩子认识与注意的对象。世界再没有比大自然更好的教师了，它能教给人无穷无尽的知识。可是非常遗憾，大多数的父母和孩子却未能好好利用它。

每逢节日，我都要带儿子到田野里去，摘下一朵花，拔下一棵草，砸碎一块岩石进行观察，窥视小鸟的窝，观察小虫的生活状况等。我利用这些实物向儿子讲述各种有趣的故事，涉及到动物学、植物学、矿物学、物理学、化学、地质学、天文学等几乎所有的科学领域。卡尔非常喜欢植物，采集的标本堆积如山，他还用显微镜观察各种东西，同时，还写出有关各种事物的极其有趣的散文。

开始时他非常害怕青虫，自从告诉他青虫会变成美丽的蝴蝶之后，就不害怕了。我还向他讲述蚂蚁和蜜蜂的生活规律，他对它们的集体生活很感兴趣，专心研究了黄蜂和熊蜂的生活，写出了不错的论文。

许多父母都为孩子的不良行为发愁。依我看，孩子的不良行为是由于孩子不知精力往何处用而造成的，这无疑是一种精力的浪费。我建议把他们都带到大自然中去，他们就无暇干坏事了。并且接触大自然能使孩子的心地高尚，自古以来和大自然感情融洽的人都是心地善良宽厚的人。与大自然接触不仅可以使孩子身体健壮，而且精神也会旺盛起来。城市里的孩子多因远离大自然，很少呼吸新鲜空气而心情不佳或性格乖张。

有鉴于此，我尽量让儿子多与自然界接触。在家里时安排他搞园艺，栽培花草和马铃薯等。儿子很喜欢做这些事，每天给它们浇水、除草，观察它们的生长情况，感到非常高兴和有趣。每年夏天则带他到山中森林附近住一阵子。森林对孩子来说是最好的教科书了。每逢晴天，我就带儿子到森林中去玩。我在森林中教给儿子诗人们歌颂自然的诗。在晴朗的天气中，呼吸着新鲜空气，立足于肃静的大地朗诵古人的诗，是非常愉快的。

卡尔还养过小鸟。他有两个金丝雀，一个叫菊花，一个叫尼尼达。他教给金丝雀各种玩艺儿。它们能随着小提琴唱，又能站在手掌上跳舞。儿子弹钢琴，小鸟就站在他的肩上。叫它们闭上眼睛，就闭上双眼，读书时叫它们翻开下一页，它们就用小嘴翻到下一页。

此外，他还饲养着小狗和小猫。饲养这些动物时，为了调食、喂水，儿子得高度注意，这培养了他专注的表神，也培养了他的慈爱之心。

我绝不使用填鸭式的教育

在儿子的教育中，我绝对不使用那种填鸭式的教育。我不光不使用，还对那种教育方式极为反感。我认为灌输式教育就像给树浇水，只浇到树叶上，根本就没有浇及根部，树木怎么吸收得到水份呢？在一股脑儿的知识灌输中，学生的感知功能因而丧失殆尽，所接受的只是大量抽象的原理与公式，完全没有真正理解。这种教育就好比全家人喂养一只宠物，大家争先恐后地喂它，只好将它的嘴撑开，像填鸭一样把知识一古脑送进它的嘴里。这样使孩子既难受，又学不到任何有用的东西，只会成为死板的知识接收器。我不能把我儿子培养成这种人。

我采取的教育方式是，首先唤起儿子的兴趣，然后再适应其兴趣进行恰到好处的教育。为了做到这一点，我从不对儿子进行系统性的教育，从不事先告诉他哪是植物学上的问题，哪是动物学上的问题等等，或是先按照课本教给他一些基础知识。不，这些都与儿童的学习习惯不符，我决不这样做。只要在散步时儿子对某种事物引起注意，我就教给他相应的知识。因此，当儿子后来阅读动物学和植物学的书籍时，他已对书上的内容并不感到生疏，而且很容易理解了。

以我教他画地图为例。本来由于没有地理方面的知识，孩子是很难理解地图的概念的。但如果一开始就让才5岁的儿子去学地理课本上的东西，他又容易丧失兴趣。我的方法是，对儿子的地理教育一定要让他身临其境，这样可以对地理的概念有一个直观生动的认识。

那时我有空就带着儿子到周围村庄去散步，叫他注意观察不同的地形、地貌、河流的走向、森林的分布等等。为了有个全面的了解，我们走遍了方圆几百里几乎全部的区域。儿子对这种边学边玩的远足很有兴趣，从不叫苦叫累，晚上回家时，他还要把今天的所见所闻一一向他母亲报告一遍，对地理环境的描述都相当准确。

这样实地勘察了一段时间。等到对邻村的情况有了基本的了解之后，我就让儿子拿着笔和纸登上我们村里的一个高塔上。我们在塔上瞩目远眺，走过的地方一一呈现眼底，我还适时地向儿子提问有关周围的地名，他不知道的地方就给他说明。对全貌有了了解后，我就要求儿子画出周围的地理略图。因为准备工作做得比较充分，他画出的略图大致准确。然后我又带着他循原路去散步，一边走一边记，在略图上添上道路、森林、河流、丘陵等。就这样邻村的地图便画出来了。

待到这些工作做完以后，我们俩还去书店买来这个地方的地图，把自己画的与书上的地图进行比较，并对有误

之处作出修改，最后儿子得到了他平生第一次由他自己制作的地图。我妻子很骄傲，将地图镶在镜框里，挂在客厅墙上，唬住了不少客人，他们都不相信这么精细的地图出自一个5岁孩子之手。就这样，我循序渐进地教给了儿子难以理解的地图概念。并且制作地图还成了儿子的一大爱好，他以后不论去哪儿旅行，都要亲手制作当地的地图。

在教会了儿子动物学、植物学和地理学的一些基本知识后，我又用同样的方法教会了儿子物理学、化学和数学。天文学则是拜托梅泽堡的一个贵族塞肯得罗夫教的。之前，为了使儿子对天文学有兴趣，我让他多看神话书，同时带他去天文台，用望远镜观看天体，还和一些天文学者交上了朋友。他们告诉我儿子天文学有多么奇妙有趣，鼓励他好好学习它。

塞肯得罗夫伯爵既是个贵族，又是个了不起的学者，有着高尚的心灵。塞肯得罗夫伯爵既不是我的熟人，平时又与我们一家没有什么联系，他纯粹是因为仰慕我儿子的神奇才华，前来看望他时才与我们相识的。他一接触到我儿子，就惊喜不已，因为他发现卡尔的智力程度已远远超过了人们的传说。于是塞肯得罗夫伯爵爱才如命，把其叫到自己家里，用自己的望远镜亲自教他。伯爵是个以学问为乐的人，除了有天文学的观察工具外，还有许多物理学和化学等方面的器械，以及数量可观的各种书籍。他非常大方地让卡尔利用这些书籍和器械，因而也帮助他随心所欲地学到了各种学问。所以，卡尔能有今天的成绩是离不开这些善心人士的帮助的。

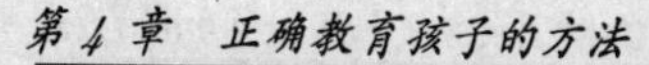

我坚持与儿子的地位平等

有人认为，在幼儿阶段，孩子只对玩要感兴趣，这纯粹是一派胡言。事实上，幼儿的究理精神从两、三岁起就已经萌发了。具体的表现就是他们开始向大人提问，提出的问题越来越多，而且千奇古怪。这是值得高兴的事，说明孩子开始对世界进行思考了。然而，我发现大多数父母不仅不为孩子的提问感到兴奋，反而倒觉得厌烦不已。他们对孩子所提出的问题大都是随随便便敷衍一下，并不给予耐心的说明和解释。

这是大错而特错的。这种态度实际上是在压抑孩子的究理精神。要知道，在孩子的智力刚开始萌芽时，我们如果不向他们提供适当的对象供孩子们玩要，他们这种已经萌发的究理精神就会白白枯死。相信这种状况是每个做父母的都不愿意看到的。但是在现实中，正是他们自己使孩子的潜在能力枯死，到孩子上了学才大惊小怪地嚷：“为什么我的孩子成绩这样糟糕呢!”这些父母只知道一味埋怨孩子，却从来没有对自己的行为进行过反省。

正确的态度是，做父母的不管有多忙多烦，都应该做到孩子问什么，就回答什么。在向孩子传播知识和方法时，决不能嫌麻烦，敷衍塞责，应付了事，一定都要真实，要合理。只有这样教育，才能使孩子成为对社会矛盾和缺陷有辨别能力的人，也只有这样，才能发挥出孩子的潜在能力——天才。如果培养出来的人辨别不出人间的好坏和善恶，对世界没有思考和认识，这类人越多，就越成

为社会的累赘，他们不会给人带来任何益处。

让我们做一个试验，假如对某个人施行催眠术，给他一种所谓消极的幻觉暗示，那么他就会连眼前的人和物都看不到。如果我们的教育是这种催眠术式的教育，那将多么可怕。也就是说，我们的教育决不能使孩子陷入这种消极的幻觉状态中。我教育儿子的真正目的，就是要为他打开智慧的天窗，使他能够敏锐地观察到社会上的坏事，洞察出社会上的矛盾和缺陷。我们人类的理想，决不应当像亚当和夏娃那样，仅仅满足于在不知自己是裸露着身体的情况下过快乐的天堂生活。为此，我决不能让儿子成为精神上的盲目乐观主义者。

要做到这一点，就必须重视孩子最初对世界的探索，积极回应他们的每一个问题。同时，父母还应该注意一个问题，那就是不能以权威来压抑孩子的天性。

孩子既不能受清规戒律的束缚，也不应受到权威的压抑。受到权威的压抑，孩子的辨别能力就会萎缩。如果没有辨别能力，也就谈不上有独特见解和首创精神。不仅如此，它还会形成孩子病态地接受暗示的心理。久而久之，在权威压抑环境中成长的孩子，他们精神上就会产生种种缺陷。所以说，为了培养孩子的辨别能力，不论在教育中还是在行为指导上，都不许用不准反驳的权威去压抑他们。

要知道，父母是人而不是神。父母们常犯的错误，就是当孩子问出一个他们答不上来的问题时，为了保住面子，随便给出一个错误的答案，甚至以大声呵斥孩子来掩自己的尴尬。我从不这样做。

当我儿子提出问题时，我总是给予鼓励，并耐心地作答，决不欺骗儿子。在教育上，我觉得再没有比教给幼儿错误的东西更可恶的了，这个错误可能会影响到孩子一生，因为最初的印象往往是最深刻的。所以，在对儿子的教育中，我坚持竭力排斥那些不合理的和似是而非的知识。在给儿子解答问题时，我尽量做到我的说明不难懂，而是充分考虑到孩子在现有的知识与思维能力下，是否能完全加以接受。因为父母如果随便给一个过于深奥的答案，孩子不能理解，结果仍然解不开心中的疑团，他们会一直不停地追问下去，很多父母就是这样被问烦的。

我从不认为由于我比儿子懂得多，就有资格在他面前充当权威。当儿子问到我自己也不懂的问题时，我会向他承认。比如，有一次儿子问到我天文学方面的问题，我就干脆老实地回答说："这个爸爸也不懂。"于是我们两个人就一起翻书，或者去图书馆查阅资料，一起把那个问题弄懂。并且我还向儿子表示感谢："如果不是你今天提问，爸爸至今也没弄懂这个问题呢。所以你以后要多多提问，我们一起来学习知识。"在这样的鼓励下，儿子的问题果然源源不绝。

等到儿子再大一点，懂得的知识更多一点，他再提出问题时，我不再立刻给出答案，而是让他先思考一下，尽力自己去找出答案来。如果儿子给出的答案和我的不同，我也并不一口否定，而是帮他分析，找出错误。有时候我会说："其实你的答案也有道理，也许是爸爸错了，我们去看看书上怎么说吧。"

在整个教育过程中，我都坚持将自己放在与儿子平等的地位上，从而也给儿子灌输了不迷信权威、追求真理的精神。

罗森布鲁姆教授的数学教导方法

在培养儿子的过程中，我发现在所有的学科中，再也没有比数学更难于使孩子感兴趣的了。因为其他学科，比如植物学、动物学、地理学，都可以到大自然中去实地接触，在游戏玩乐中就学到许多东西，孩子的兴趣自然高涨。唯有数学，它是一门纯抽象的学科，只能依靠自己的思维能力，好动爱玩的孩子会觉得太枯燥。

我儿子刚开始也不喜欢数学。尽管我早已通过游戏法很容易地教会了儿子数数和数字，并用作买卖的游戏很容易地教会了他钱的数法，然而，当我要教他乘法口诀时，却碰到了麻烦：儿子有生以来第一次厌弃学习。由此可见，即使是已到5岁左右的孩子，也是不喜欢死记硬背的。后来我把口诀编成了歌词供他唱，他还是不喜欢。

这时我真是有些担心了。当时儿子才5岁，已经能用三个国家的语言说话，还懂得动物学、植物学、地理学，他在神话、历史和文学方面已达到初中毕业生的水平。可是，他在数学方面却很弱，连乘法口诀都不会。他是否在学业上有所偏向了呢？一个偏科生显然不符合我培养孩子的理想。我的理想是使儿子均衡发展，在成材的同时真正感到幸福。片面发展的人不可能成为真正幸福的人。

那段时间，我为儿子对数学不感兴趣而苦恼。尽管如此，我还是没有强制儿子死记硬背乘法口诀，因为我坚信强制是行不通的，并容易扭曲孩子的性格。

我的苦恼被一次与罗森布鲁姆教授的幸会而解开了。

罗森布鲁姆教授是格拉彼茨牧师的朋友，是一位数学教授，他的数学教学技巧相当高明。一次，我去看望格拉彼茨牧师，在他家里幸遇了罗森布鲁姆教授。

在听了我的担心后，罗森布鲁姆教授一语道破了问题之所在："尽管你儿子缺乏对数学的兴趣，但决不是片面发展，而是你的教法不对头。因为你不能有趣味地教数学，所以他也就无兴趣去学它。你自己喜好语言学、音乐、文学和历史，所以能有趣地教这些知识，教授动物学、植物学和地理学你也很有一套，你儿子也就能学习。可是数学，由于你自己不喜欢它，因而就不能很有兴趣地教，你儿子也就厌恶它。"接着，这位杰出的学者十分热情地教给我一套教数学的方法。我用这些方法教儿子数学后，效果非常好。

这位学者的建议首先是让孩子对数学产生兴趣。例如：把豆子和钮扣等装入纸盒里，父子二人各抓出一把，数数看谁的多；或者在吃葡萄等水果时，数数它们的种子；或者在帮助女佣人剥豌豆时，一边剥一边数不同形状的豆荚中各有几粒豌豆。

我们父子俩还经常做掷骰子的游戏。最初是用两个骰子玩，玩法是把两个骰子一起抛出，如果出现3和4，就把3和4加起来得7分。如果出现2和4、3和3，就得6分。这时就有再玩一次的权利。把这些分分别记在纸上，玩3次或5次之后计算一下，决定胜负。

卡尔非常喜欢这类游戏。当然，在儿子投入到这种游戏的乐趣中以后，我仍按罗森布鲁姆教授的建议，每次玩游戏不超过一刻钟。理由是所有数学游戏都很费脑力，一次超过一刻钟就会感到疲劳。在这一游戏玩了两、三周以后，我们又把骰子改为三个、四个，最后达到了六个。

接着，我们把豆和钮扣分成两个一组的两组或三组、三个一组的三组或四组，把它们排列起来，数数各是多少并把结果写在纸上，然后把这些做在乘法口诀表挂在墙上。这样一来儿子就懂得了二二得四，三三得九的道理，而且非常高兴。更复杂的游戏可以依此推类继续做下去。

为了使儿子将数学知识运用于实际，我还经常同他做模仿商店买卖情景的游戏。所卖的物品有用长短计算的，也有用数量计算的，还有用分量计算的，价格是按着实际的价格，钱也是真正的货币。我和妻子常常到儿子开办的“商店”买各种物品，用货币交付，儿子也按价格表进行运算，并找给我们零钱。

就这样，我按照罗森布鲁姆教授的方法教不久，儿子就对数学产生了浓厚的兴趣。一旦有了兴趣，以后的教学就像流水一样，从算术开始一直到顺利地学会了代数、几何。到后来，儿子就不仅仅是有兴趣了，他简直就爱上了数学这门学问。

再用功也不会损害神经

那些谙于世故的旧教育的卫道士们，诬蔑我的教育观念对幼儿的精神有害。我之所以在前面几节中反复论证兴趣对孩子学习的重要性，就是为了用强大的事实证明有兴趣的主动学习不会挫伤孩子的身心健康。依我看，正是旧式的教育才有害于幼儿的神经呢！

人们已经习惯性地认为，过于用功会损害神经，这不

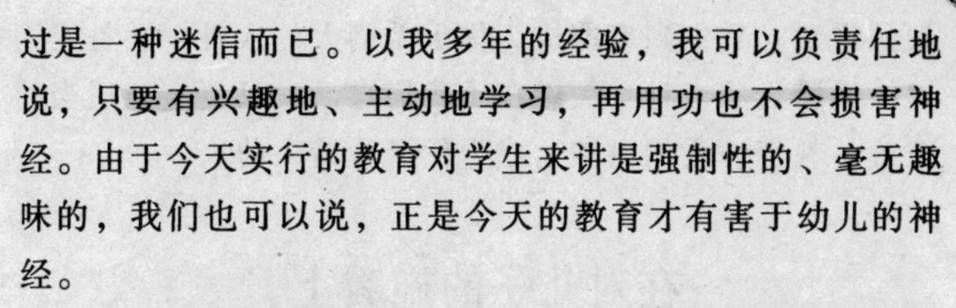

过是一种迷信而已。以我多年的经验，我可以负责任地说，只要有兴趣地、主动地学习，再用功也不会损害神经。由于今天实行的教育对学生来讲是强制性的、毫无趣味的，我们也可以说，正是今天的教育才有害于幼儿的神经。

现今教育的现状是，在应当开始教育的时候我们错失了良机，而在孩子的究理精神白白枯死之后，我们才开始急急忙忙、乌七八糟地向他们乱灌一通。这就是所谓的填鸭式、注入式教育。在这种不合理的教育方式下，孩子厌恶学习并不奇怪，这样的教育有害于幼儿的神经也是很自然的。

反之，若从两、三岁时就开始教育，幼儿便能积极主动地学习。由于有了幼年时期的良好基础，他们在10岁左右就能获得不次于优秀大学毕业生的学力。不仅学业进步，而且身体发育良好，精神上也不会有任何异常。这是基于我本人的经验，决非信口雌黄。

我认为，这样教育孩子也是很经济的。试想想，在现行的教育方式下，学生和老师花费了多少时间？如果综合计算一下，这笔花费的确是相当可观的。如果他们在10岁左右就能获得相当于大学毕业生的学力的话，难道不是非常经济吗？但现实的情况是，我们的孩子甚至在小学学习了8年后，还不能进行一般的读写。当然，算经济帐是次要的，我在这里主要是为那些潜藏在孩子们身上的能力被无情地泯灭而惋惜。

弗兰西斯·高尔顿就能力问题曾经说过，我们近代人和古希腊人相比，就如同把非洲土人和我们相比一样。还有许多学者说希腊人种是远远优于我们的，但这是一种错误的说法。我们到底能成为优于希腊人的人种，还是成为劣于希腊人的人种，关键在于我们自己。只要实施适当的正确的教育，我们自然会成为优于希腊人的人。

在对儿子的施教上，我一直深信“百闻不如一见”

我除了教给儿子书本上的知识，还注意利用一切机会来丰富儿子的见识。比如，看到建筑物，就告诉他那里面有什么，坐落在什么地方；看到古城之类，就告诉他过去这个城的历史，同时还给他讲古城的历史，以及围绕这个古城的种种秩闻趣事。

一个只拘泥于书本知识的人，会变得眼光短浅，头脑陕隘，不可能成为有创见的学者。我可不想我的儿子成为这么一个书呆子式的人物，这样不可能有幸福。所以从儿子 2 岁以后，不论走亲访友还是买东西，也不论参加音乐会还是看歌剧，我去哪儿都带着他，让他从小就与身分各异的各阶层人士交往、谈话。这样做的结果是，儿子具有很好的社交能力，从小到大从不怯生、不怯场，越是人多或越重要的场合，儿子就发挥得越好。后来儿子成名后必须出入一些正式场合，与贵族、王公大臣，甚至国王打交道，他都能表现得非常得体，给别人留下了很好的印象。我见过一些在学问上十分优秀的人，因为缺乏经验，出入这类场合时就显得畏缩慌张，实在不雅。

除了见人，还要见物。只要有空，我就带儿子去参观所有的博物馆、美术馆、动物园、植物园、工厂、矿山、医院和保育院等，以开阔他的眼界，增加他的见识。在参观前，儿子都要先阅读大量有关的书籍，有一个大体的了解，然后再通过自己的眼睛实地接触这些事物，获得了大量与直接感知相一致的信息与知识。在这时，儿子的脑子总是转动得特别快，心里充满着寻根究底的疑问。面对儿子源源不断的问题，我总是尽我所能给他说明和解释，并做到深入浅出，决不随便敷衍。因为我知道，这样教授知识最自然而且有效。

光参观还只是这类教育的一部分。每次参观归来，我还让儿子详细叙述见到过的一切，或者让他向母亲汇报。由于有这一功课要完成，使儿子在参观中总是用心观察，认真听取我或者导游的介绍与讲解。这样一来效果就更为显著，儿子能记住更多的东西。

儿子3岁以后，我不再局限于哈勒地方，开始领着他到各方周游。5岁时，儿子就已经在我的陪伴下，几乎周游了德国的所有大城市。在旅途中，我们既登山，也去游览名胜；既去寻找古迹，也去凭吊古战场，还参观了无数的古堡、宫殿、园林、教堂。回到旅馆后，我就让儿子把所看到的一切写信告知他的母亲和熟人。回到家中，他还要向亲人们口头讲解旅途见闻和切身体会。

6岁时，儿子已经成了洛赫附近最见多识广的孩子了。他的见识甚至超过很多大人。人们在地理、历史方面有什么想知道的都去问他，或者想听听其他地方的奇闻异事的，也会来找卡尔。后来儿子干脆写了一本游记，将自己旅途中的所见所闻全部写了下来，大家都看得津津有味。

当然了，有人说我这样做不值得，是不必要的浪费，那些钱不如用来给孩子买书收获更大；还有人说如果我不是这样大手大脚地花钱，就不会弄到后来连儿子上大学的费用也负担不起了。虽然我只是个穷牧师，收入微薄，为了能有出门的旅费，全家人都得省吃俭用，旅行时也只能住最差的旅馆，但我认为一切都是值得的，我从不后悔。

只要能满足儿子的求知欲望和追求真理的精神，我决不吝惜体力和金钱。为了向儿子公开魔术的秘密，我就曾不惜重金，请魔术师现身说法。类似这样的事情还非常多。儿子生长在内陆地区，但他总在书中看到对大海、大洋的描述。他很喜欢看这一类的书，在看了麦哲伦、哥伦布等航海家的传记以及《马可·波罗游记》这些书以后，他非常想去看看大海。于是，我就带他去了地中海海岸。平生第一次看到大海，儿子兴奋极了。我们在那里拾贝壳，采集海藻，拾水母和海星等等。我对他讲述了这些海产品以及海底生物们的各种知识，他对神奇的海底世界十分向往。我们又在沙滩上做各种游戏，比如堆山、凿河、开湖、垒岬、修湾、筑岛和封岛等等。要使孩子形成地理概念，海边真是最有利的地方。我把地球仪带到海边，告诉他地中海就在这里，越过地中海就能到达非洲，非洲大陆的两边是太平洋和大西洋，越过太平洋就可以像马可·波罗那样到达中国，而越过大西洋就可以像哥伦布那样到达美洲。就这样，儿子逐步了解了地球的概念，学会了世界地理。

在对儿子的施教上，我一直深信“百闻不如一见”的道理。根据我的经验，读万卷书远远比不上行万里路，现实世界能教给我们的，永远比书本能教给我们的更多、更丰富、更生动。

玩出儿子的各种能力

通过对儿子的教育，我发现玩对于孩子来说不仅仅是兴趣，更重要的是在玩之中可以逐步开发孩子的智力。

儿子的注意力、观察力、记忆力、想像力、操作能力都是通过游戏玩出来的。智力游戏就是这种玩的重要方式。

在对卡尔的教育里，我将知识融入他的游戏之中，把着眼点放在认识事物、传授和巩固知识上。儿子通过这些游戏，自然会加深对事物的认识、了解，并且巩固这方面的知识。像“哪儿错了?”“什么动物吃什么?”等等就属于这种情况。

我还通过游戏训练他的正确发音，让他准确地说出一些常见的同义词、反义词，很快地丰富词汇。像“动物怎么叫”或让他“指出相同颜色的物品”、“说出正反词”等就是属于这类语言训练的游戏。

比如有的游戏，我让儿子看清楚桌子上或盘里放的东西，然后让他闭眼睛或用遮盖物盖住东西，悄悄地取走或调换物品，再让孩子仔细观察，说出取走或调换的物品。问他“什么东西不见了”“什么东西变了”等等。这类游戏能够训练和发展孩子的观察力、注意力、记忆力、思维能力。

有时我会让儿子闭上眼睛，让他仔细听我击掌，敲桌子等，然后叫他说出敲、击的数目。以这样的方法来训练他的注意力、记忆力和观察力。

我和儿子玩这些可以开发智力的游戏时，多从他的角度出发，从不急于求成。因为我知道，如果去做一些儿子不能接受的事，往往会得不偿失。

如果孩子在游戏中表现出超常能力，我就及时增加难度，让他有快速的进展。如果他表现欠佳，我也不着急，只是想办法给予他更多的关心和帮助，激发他的兴趣，让孩子从成功的欢乐之中增加信心，不断进步。

我在对待儿子的游戏上，尽量做得浅显易懂，选择那些儿子可以理解的，或者见得到的东西或事物，我尽量让游戏具体、直观、形象，还让他做些小实验，亲自去发现一些东西。

在开发孩子智力的游戏中，父母应该结合孩子的年龄特征和实际水平，有效地选择和编制这种游戏。游戏的内容不能太容易也不能太难，否则将不会发生正面作用。当卡尔 3－4 岁的时候，我主要采用具体形象、实物跟动作相联系的方法。等他长到 4－5 岁时，难度增大了一点，内容加深了一些，但都是他经过努力可以完成的。我从来不用少见或怪异的问题去为难他。

在与儿子进行某个游戏之前，我先用简洁、生动的语言向他讲清楚，有时还进行示范或演示，以便帮助他玩好游戏。

我认为,在孩子的智能和心理发展过程中,观察力具有重要的意义,观察力的好坏,直接地影响孩子的智能发展。

我无时无刻地利用游戏对儿子进行有效的训练，让他的观察力得到快速的发展。

在儿子的成长过程中，我经常带他去参加各种活动，

让他感受外部世界，丰富他的感性经验。我不断地诱导他用看、听、说、做、尝等方式参与游戏活动，让他养成善于观察的习惯。我还在游戏之中加强对儿子的语言指导，促使他用语言作用去分析已感知到的事物，以便有效提高和发展他的观察力。

在与儿子游戏之中我还发现，丰富多彩的东西容易引起他的注意力，而枯燥乏味的活动容易造成他的注意力分散。游戏在孩子的心目中占有重要地位，只要游戏有浓厚的趣味，孩子就会乐此不疲，全力以赴。

注意力是伴随感觉、知觉、记忆、思维、想像等心理过程的一种心理特征。注意力的集中和分散，对孩子的发展影响非常大。一个漫不经心、注意力不集中的孩子能够取得大的成就，是不可想像的。所以对于儿子，我非常着重培养他的注意力。我尽量把游戏做得有趣，这样很容易集中他的注意力。

在游戏之中，我还尽力去培养儿子的记忆力。因为记忆在孩子心理发展过程中具有重要的作用。孩子通过记忆感知过去经验，在大脑中留下印象，从而促进心理的发展。记忆力的差异主要表现在记忆速度、准确性、持久性、准备性和灵活性上。记忆对于孩子的个性、情感、意志等都有重要意义。

为了培养儿子的记忆力，我绞尽脑汁，想出了很多办法，也取得了很大的成效。

我细心地为儿子提供丰富的游戏材料。我发现那些具体、直观、生动的形象会唤起他对过去感知过而不在眼前的事物，经过不断的重复，他的记忆就非常完整和准确了。我时常运用语言对行为和实物进行描述来唤起他的记忆，因为孩子的头脑中，形象与语言、词语的关系是十分密切的。

在和儿子的游戏之中，我不仅注意培养他的观察力、注意力、记忆力，更特别着重培养他的想像力和创造力。

儿子根据自己有限的知识和生活经历，选择自己喜欢的主题和内容，选用自己喜欢的东西和材料。他虽然是以模仿为基础，但可以充分发挥自己无拘无束的想像力，创造性地构建自己的生活。

在这种游戏中，我让儿子毫无拘束、主动积极、生动活泼地模拟和创造他所体验的世界。通过游戏，让他对自己所体验到的世界加深认识。我时常让儿子自己构思主题、安排情节、分配角色、制定规则。我要他自己去构思、去策划、去组织、去实施。在整个过程中，孩子的创造能力和解决问题的能力会得到充分的发展。在玩的过程中，我和儿子友好相处，相互协调，有时和他一起出主意、想办法，这样，他的协调能力会得到很好的发展。

在孩子的生活当中，很多事情都会使他们感兴趣，很多事都会成为他们最好的游戏。下雪的时候，孩子去堆雪人；下雨时，他会去挖沟渠。他还会用泥沙和石块建造神秘的城堡、雪人、雪墙、雪老虎，似像非像，妙趣横生。孩子冻僵了手，冻麻了腿，但仍然乐此不疲，如痴如醉。

卡尔小时候很喜欢的一种游戏就是搭房子。在游戏之中，他逐渐对前后、左右、上下、中间、旁边等空间有了认识，逐渐形成了高矮、长短、厚薄、轻重、大小等观念。在这种过程中，他学会了有计划、有步骤地进行设计，既有了成就感，也增添了无穷的乐趣。

在搭房子的过程中，孩子必须手脑并用，肌肉得到了锻炼，手眼得到了训练，他的动手能力大大增强，手巧而心灵，潜力得到充分的发挥。由于在着手之前，脑子里面先要有个形象，于是在这种游戏之中孩子也发展了他的形象思维能力。

每当卡尔玩这种搭房子的游戏时，我都要给他很多的帮助。我时常引导他对搭建的对象充分地加以想像，告诉他想像得越具体越好。有时我利用现有的模型、图画去加深他头脑中的形象。这不仅有利于游戏的顺利进行，更主要的是开发了他的形象思维能力。

我积极地为卡尔的“工作”创造条件，面对我的支持，他会更好地调动潜在的能力。我还给他讲一些有关结构建筑的基本知识和基本方法，告诉他怎样将木块铺平，怎样去延伸它们，怎样才能达到合理的受力效果，等等，等等……

我认为，孩子的各种能力都应该从小培养。有人认为像创造力这样的东西应该在孩子长大后才会具有，这完全是个谬论。其实，当一个孩子开始懂得玩耍时，他的创造力就已经开始了。

第5章

我只是想把儿子培养成全面发展的人才

我很少将儿子抱在怀里，而是让他随便地爬。父母应该是孩子最早的教师，而不应该是他的保护神。当儿子不慎摔倒在地时，在大多数的时间，我不会去扶起他，而是让他自己站起来。儿子应该从这些小事中学会独立的能力，他应该明白，他不能永远依靠父母，要靠自己。

是不是神童并不重要

当卡尔学有所成时，人们开始议论我了，他们七嘴八舌地猜测我培养孩子的动机。有人认为我教育儿子的目标就是造就一个非凡的学者，更有人说我对儿子的教育就是想把他培养成一个一鸣惊人的神童。他们或许还会认为我对孩子的教育是为了满足我个人的虚荣心吧。

听到那些无聊的议论后，我感到难过。他们误解了我，误解了我教育的目的。

我只是想把儿子培养成全面发展的人才，所以才挖空自己仅有的一点智慧，在不影响工作的情况下，尽力把他培养成健全的、活泼的、幸福的青年。

我喜欢身体和精神都全面发展的人。每当我看到儿子只热衷了希腊语、拉丁语，或者数学时，就立即想办法纠正他这种倾向。

有人认为我只是热衷于发展儿子的大脑，这是错误的。在对儿子的教育上，我特别下力气的与其说是智育莫如说是德育。我不想把儿子变成个聪明却不近情理的人。他是不是神童并不重要，重要的是全面、完美，起码要让他接近完美，这才是我所希望的。

我深深感觉到，父母以及其他家庭成员的行为，对孩子的成长起着决定性的作用。家庭是孩子成长的摇篮。我们的言谈举止，行为作风无时不刻地影响着孩子。

我是一位牧师，并且自认为还称得上是虔诚的信徒。对于卡尔性情方面的培养，我一直是特别注意的。我不想让卡尔成为那样的孩子：本人是牧师的儿子，熟读圣贤之书，却整天油腔滑调，胡作非为。这样的人，即使具有非凡的才华，那也是无济于事的。因此，卡尔从小就受到特别虔诚的教育，以精通圣书而著称，尤其是基督教义，他全部背了下来，而且确实照教义指导行事。

无论是我的朋友还是邻居，绝对看不到我对儿子没有理由的娇宠，儿子犯了错误一定会受到纠正。我是在尊重儿子独立人格的前提下，对他进行应有的管束，让他明白，他的行为不是没有边际的，不可为所欲为。

无论对什么人，我都教他必须懂礼貌，说话客气，对父母也不例外。让他知道懂事而有礼貌的孩子才会受到夸奖。

在儿子很小的时候，我就开始培养他独立生活的能力。对孩子的溺爱和娇宠是孩子独立人格形成的最大障碍。我让儿子学会尊重他人和自我克制，知道自己对自己的行为负责任。而对我个人来说，作为一个孩子的父亲，也应该为儿子日后的独立生活负责。

我让儿子学会许许多多的东西，并不想把他变成那种呆头呆脑、形同枯木、板着面孔、难于接近的人，我应该对儿子长大成人后的行为负责。如果儿子只是成为一个满腹经纶，知识丰富却不能像其他人一样适应社会，不能对其他的人有所帮助，有所贡献，那样的话，我一定会感到难过和愧疚的。

在儿子很小的时候，我和他的母亲非常悉心地照料他，但从不娇宠、溺爱他。我很少将儿子抱在怀里，而是让他随便地爬。父母应该是孩子最早的教师，而不应该是他的保护神。当儿子不慎摔倒在地时，在大多数的时间，我不会去扶起他，而是让他自己站起来。儿子应该从这些小事中学会独立的能力，他应该明白，他不能永远依靠父母，要靠自己。

我认为，对孩子独立能力的培养，是对孩子的一种真爱，那种对孩子的娇宠和过分的呵护只会让孩子在将来的生活中吃尽苦头，那可怕的结果只能是一种罪过。

缺乏忍耐、不能自我克制是没有修养的，是会令人瞧不起的。即使是孩子，如果不能学会忍耐，将来也不会有大的作为。在我的家庭中，如果儿子受到伤害，即使他大哭也绝不会在我这里得到过分的安慰和同情。时间长了，儿子渐渐地就会明白，他是生活在一个只能依靠自己的环境当中，不管是哪种痛苦，都不应该求助别人，要自己忍耐。日复一日，儿子慢慢地形成了一种坚忍不拔的性格。

坚忍不拔，在我看来是世上最了不起的美德。它是与上帝同在的。

人们说我要造就神童从而一鸣惊人，这种说法是一种偏见，更是一种诬蔑。我从来就没有想过要把儿子培养成所谓的神童，如果说我想通过对儿子的教育来挣得名声的话，那简直对我是一种污辱。

什么是神童呢？不就是温室里的花草吗？我想要的是健康的、全面的、正常的，而不只是在某一方面超常的、短暂的神童。如果我有把儿子培养成什么神童的企图，那我不就成为伤害他人、冒犯神灵的人了！

让儿子具有同情心

我和妻子同心协力，下功夫培养儿子在常识、想像力和爱好等方面的能力。我不喜欢没有爱好和常识的人。我还努力培养儿子的情操和情感，使他具备高尚的品德和虔诚的爱憎好恶。

我力图让他学会怎样去爱别人，让他懂得什么是同情，什么是人生最美好的东西。具有同情心的孩子都不会霸道蛮横，能从事对社会有益的事情，比如帮助他人，分担他人痛苦等等。这些孩子更能得到社会和大人的喜爱，无论在学校和日后的工作中会有更多的好机会，成人后更能与朋友、家庭建立起亲密无间的关系，我时常教育卡尔爱的魔力，告诉他爱是上帝赐给我们最伟大的力量。能接受别人、同情他人，他所得到的回报将是无限的。

我曾经告诉儿子，我们每个人都应该关心他人。我们每一个人都受到过别人的帮助，我们应该随时准备着把别人的帮助转为对别人的关心。我竭尽我有限的知识，时常给他讲述那些古代圣人的故事，还有《圣经》中那些关于爱的篇章。

在一个令人心旷神怡的黄昏，和往常一样，我牵着儿子的小手一边散步一边耐心地解答他那些如潮水般涌来的问题。

一个流浪汉从我们身边走过。没想到，这个流浪汉却引起了卡尔的注意。卡尔抬起头问我："他为什么要流浪呢？他需要什么呢？"我没有立刻回答他，因为对于儿子的问题，我都要给他一段自己思考的时间。这一次，卡尔并没有像往常那样反复追问，而是跑上去追上流浪汉的步伐，向他提问："先生，您为什么要流浪？您需要什么吗？"

"我需要一个面包……"流浪汉哈哈大笑起来，他或许从来也没有想到过一个只有5岁的孩子能够帮助他什么。

流浪汉摇了摇头，继续向前走去。

"先生，请你等一等。"儿子的话音未完，便向家的方向飞奔而去。

流浪汉停下来给我打招呼："先生，这是您的孩子吗？"

"是的，是我的儿子。"

"多可爱的孩子啊，他真幸运……"

站在路边，我和流浪汉攀谈起来。他告诉我他家乡的情况，给我讲他的流浪生活以及他对命运的感叹。

不多久，卡尔气喘嘘嘘地跑了回来，手里拿着两块面包。他看了看我，我微微点头表示赞许。

“先生，这是我和我的家人送给您的。”儿子把面包递到了流浪汉的手中，他的神态和动作似乎都在说，请接受吧。

事后我问儿子，你当时怎么会有给流浪汉送面包的想法。

“我想你和妈妈都会赞成我的做法，因为你曾经对我说过，人只有在行善时，才能接近上帝。”

很多的孩子，在成长的过程中都能自然而然地产生出同情心，不论是男孩或是女孩。那似乎就是一种天性。随着他们认识能力的成熟，渐渐能区分他人精神痛苦的不同表现，并能用行为表达自己的关心。

有的孩子不关心人，行为邪恶或残忍无情，大多是家庭的不幸和早期教育的不足造成的。如果希望孩子更加关心和爱护他人，正确的家庭教育和父母的品德和行为是至关重要的。

我在教育儿子的时候，不是只让他记住一系列道德规范，因为简单的背诵不会对他的行为产生影响，而是在平常生活的言行中去让他体会真正的爱心，真正的善良。

我告诉儿子，做一个高尚的人是最大的幸福。高尚的人能够理解别人的思想，能够体会别人的情感。高尚的人能克制自己，能减轻他人痛苦，能替他人分忧。

卡尔很小就懂得，做一个高尚的人比那种单单是学识渊博的人更能得到别人的尊重。

如果你希望孩子长大后具备爱心、同情心以及责任心，那么现在就开始吧，重要的是必须对他们寄予这些希望。我就是这样对待儿子的，当卡尔还很小的时候，我就希望他能够这样。我不会降低对儿子的期望，永远不会担心自己的期望会遭到儿子的反对。我不会因为害怕自己期望的破灭而纵容儿子。我相信我的儿子，我知道他将会是一个很棒的男子汉。

无论儿子的年龄有多小，我都把他放在和我一样的位置，从来没有因为他是个孩子而忽略他，也从来没有因为他太小而纵容娇惯他。在我的家庭中，我们是平等的。

卡尔在3岁时，我要求他自己的事情自己完成。事实上，他也做得非常好。那时，他已经能够帮助母亲做一些简单的家务：擦去桌上的灰尘，帮忙把餐具摆好等等。随着年龄的增长，卡尔能够做的事也越来越多。因为帮着家里人做家务，也是帮助他人的一个方面，这是很好的事情。

我告诉儿子，帮助别人是爱心的表现，是来自千万人心底里的善良。善良是人掌握在手中的最有力的工具，它具有无穷的力量。

凡与卡尔相识的人都夸他“像天使般的纯洁”。他是个非常虔诚的、富于情爱、和蔼可亲的孩子。他从未与人争吵过。对待自然，不要说动物，就是一朵野花，也舍不得乱摘。

我为儿子的高尚而感到骄傲。能感觉到他内心之中光明的东西，为此我感到欣慰。

我认为，性格就是能力

我认为，性格就是能力。如果一个人的性格开朗直爽，那么他就很容易被人所接受，交往活动范围广泛，就有走向各种人生道路的可能性。如果性格孤僻，他的交往活动就只会在狭窄的范围中，做任何事情都不愿同人们直接配合，结果往往是半途而废，走向人生道路的可能性就一直处于关闭状态，从某个方面说性格是决定一个人成功的关键。

我对卡尔的教育，除了培养他学习知识之外，更是把培养他优良的性格放在很重要的位置。我为了让儿子具备各种能力和美德，一开始就从日常生活的点点滴滴上对他进行长期的性格培养。

所谓性格，是在孩子的生命力顺应环境条件的过程中逐步形成的。孩子一生下来，根本不存在什么直爽开朗的性格或孤僻内向的性格。性格是孩子的生命和作为生存能力而表现出来的一种姿态。

有些孩子性格直爽、开朗，有的孩子孤僻内向。我认为这些不同的性格既不是天生的，也不是孩子独创出来的。当孩子的生命力作为现实生活能力得不到充分锻炼时，总觉得自己与现实生活相脱离，不能很好地去适应。其结果就体现在孩子失去原有的那种直爽、开朗、刚强等天性，反而出现了与原有天性不太一致的不良性格。

性格是会改变的，而且会不断地改变。如果生活环境一旦变化，人的性格也有可能变化。这种性格的变化是由于不能适应变化了的生活环境所造成的。

很多父母都指责自己孩子养成的坏习惯，并希望他改正。但如果不反复正确地加以引导，其坏习惯就不易改变。

虽然性格会改变，但我相信，性格的基础是早期生活奠定的。最初几年的生活习惯，父母的态度，家庭气氛，都会慢慢改变孩子的性格特点。因此，每一个习惯在其开始形成时都特别重要。

在卡尔的成长过程中，我一直在仔细地观察他，尽量做到在不使他自尊心受到伤害的情况下去了解他的内心世界。目的是想在他有烦恼的时候给予他及时的帮助。如果他有什么不顺心的事，我会想尽一切方法使他将苦恼一吐为快。尽力不让他把不高兴的事闷在心里。我希望儿子能够成为开朗而快乐的人。

有一天，我从外面回来，看见卡尔独自一人坐在院子里出神，他的表情看起来有些忧伤。因为儿子的性格一直比较开朗，他今天的举动让我感到奇怪。我于是就向他走了过去，蹲在他的面前问他发生了什么事。

儿子抬头望了望我，轻声地叹了一口气，又重新埋下了头。

“卡尔，怎么啦？有什么事令你那么不高兴。”我问道。

儿子仍然一言不发。

“儿子，爸爸最爱你了。你有什么事不应该瞒着我。你每次有困难不都是爸爸帮助你的吗？”我看见儿子今天的模样，断定他一定有什么事憋在心里，或许还是一件对他来说挺大的事。

“卡尔，爸爸对你最大的希望，就是想要你成为一个快乐的人。其实，无论什么问题都能解决，只要你有一颗快乐的心。”我继续对他说，尽力通过语言去开导他。

“爸爸，我觉得我不是个男子汉。”卡尔终于说话了。

“为什么?”

“因为我遇见了肯特尔，是村里一个农夫的儿子。他嘲笑说我不够健壮。他还脱了上衣冲着我显示他的肌肉，他说像他那样的才是男子汉，而我不是。”

其实卡尔的身体一直很好，非常健康，但确实算不上一个非常强壮的孩子。本来这不是一个问题，但他却在这时受到了伤害。弄清楚了儿子不高兴的原因，我就开始给他讲一些关于男子汉的道理。

“卡尔，你要知道，一个男子汉并不只是身体强壮。真正的男子汉需要有智慧，有坚强的毅力。并且敢于承担生活中的一切困难和挫折，应该有超人的勇气。

你仔细想一想，你现在还是个孩子，就已经掌握了那么多的知识，又懂得那么多的道理。等到你慢慢长大，这些知识和道理就慢慢会转化成智慧。而且，从我的眼光来看，你一直是个勇敢的孩子。虽然你的身体在孩子中不算是最强壮的，但也很健康。肯特尔是个农夫的孩子，每天要帮助家里做很多活，而且他的年龄比你大，他比你健壮是很正常的。我想，等你再长大一点，平时又坚持锻炼，以后肯定会比他更强壮的。

肯特尔这样对你说话是非常不礼貌的行为，你干嘛要理会他呢？还有，你作为一个男子汉最重要的就是要有独立的头脑，这样才不会轻易被别人的评论所干扰。”

卡尔听到我这样说，顿时欢欣鼓舞起来。起初的烦恼是由于听了别人的评价而对自己某个方面产生了自卑感，而他想通了其中的道理后，自信心又重新被找了回来。

我不知道其他的父母在面对这种情况是怎么处理的。但是我认为在这种时候不给孩子讲清道理，不打通他思想上的障碍，很有可能使孩子将这一问题永远埋在心里。那么他就会常常为此而烦恼，直接会影响到他的性格，或许一个原本开朗的孩子会由此而变得孤癖、消沉。

对于卡尔的教育，我就是用以上描述的诸如此类的办法让他时刻处在快乐和开朗之中的。

我认为，**孩子是否有优良的性格，在很大程度上决定着他能否成为一个全面的人才，也决定着他是否在将来有所成就。**

我从来都不想把儿子培养成所谓的学者

我讨厌所谓的学者。他们只懂得自己的一点专业，为了显示他们有高人一等的学识，不论对谁，走到哪里，总是一味卖弄他的专业，不管人家是否愿意。对于专业以外的东西，他们一概不知，也毫无兴趣。比如，他们非常缺乏常识，就像一些不食人间烟火的人。他们对时事等问题发表的拙劣看法，时常成为人们的笑柄。

这就是所谓的学者。

我从来都不想把儿子培养成这样的人。因为那样的学者，即使他把所有的精力放在他的那一点专业上，也不会有所作为的。他们说的话完全是些很少听到过的不知所云的学术用语，他们写的东西都是装腔作势的令人头昏脑涨的句子。他们视那些具备常识和爱好广泛的青年为凡夫俗子，贬低那些善交际、具有生活情趣的人。相反，当他们看到那些写文章只会罗列晦涩的学术用语、玩弄谁也不用的词汇、味同嚼蜡、又臭又长，除了本人外谁了不懂的青年，却谓之曰伟大、有出息。

正像某个大学教授平时对学生所说的："你们只要能学会希腊语和拉丁语就足够了。所谓科学和本国语一边喝茶一边说着话就能够学会。"他们就是这样一群偏见家。

我怎么能把儿子培养成这样的学者呢?

我培养儿子的辨别能力、求知欲望以及对美术、文学等的欣赏能力，正是为了避免让他成为那种所谓的学者。

完美的人，应该是心胸宽广、富于献身精神，充满仁爱之心的人。完美的人，应该能够看到矛盾和缺陷，并立志去解决它。

我从卡尔很小的时候就去培养他辨别真伪善恶的能力。因为如果没有这种能力，知识将会显得苍白无力。

不能培养孩子辨别能力的学校，只能成为庸人汇集的场所。那样的学校只不过是一个个兜售学问的零售店，教员仅仅是其中的一个店员。尽管他们大多数都在尽职尽责地销售教育学、语言学、博物学等等知识，但你从这些授课中丝毫感受不到创造力。

我时常告诫卡尔，一个人如果没有创造力，即便他能懂得全世界的各种语言，看完了世上所有的书，那也丝毫没有价值。

很多学校的管理者，他们只管制定出严格的规划，并以此准则培养了一大批中规中矩的人来。这样的学校只能培养出"平均"的人材，从他们之中很难发现有特点的人。这些学生和他们的老师一样，没有思想，也没有新颖的观点。

完全清一色的庸人，数量再多也没用。

对于卡尔的教育，我首先是考虑发展他先天的个性，培养他独特见解和首创精神。只有这样，才能让他成为有鲜明特点的人，才能让他在成年之后拥有新的观点和思想。这样，他才能够为这个世界做出一些应有的贡献。

我的一些朋友，自称为高明的教育家，他们给孩子制定出各种清规戒律。戒律多得令人可怕，容不下才华出众的孩子。很多的孩子因受到条条框框的限制，使其不能够自由发展。

我听说过很多才华出众的孩子在触犯那些清规戒律而受到非难，在他们与众不同时而遭到指责。

我们想要把我们的孩子培养成什么样的人材呢？仅仅是一些处事圆滑的店员或灵巧但没有思想的手艺人吗？如果是这样的话，世界上还会有真正的科学家、哲学家、艺术家吗？

我们应该记住，雅典时代希腊文明的伟大，是自由教育的结果；相反，拜占庭时代希腊文明的贫乏，正是清规戒律的结果。

对于儿子，我最大的愿望是让他成为对世界有所贡献的人，而不是那种只会读书的所谓学者，更不是所谓的一鸣惊人的神童。

我希望卡尔是一个完美的人，这比其它的都更加重要。

第 6 章

千万不要小看他

做为父母，应该培养孩子敢于犯错误，敢于失败的行为。孩子和成人一样有能力去犯错误，也同样有能力去纠正和改正错误，敢于犯错误和改正错误是同样珍贵的。

让美好的东西在儿子身上形成本性和自觉

从卡尔一岁时起，我就严格要求他。我从来不相信“小时候可以放宽一些，稍长大后再严格一些”这种似是而非的信条。

作为父亲，我有责任和义务教儿子知道什么应该做，什么不应该做。在孩子幼小之时，成年人对他们的影响是很深的，如果小时候对他们放宽的话，那种烙印会在他们心中很深很深，稍大后再严格，恐怕已经来不及了。

儿子 6 岁时，我带他去另一个教区的 E 牧师家去，并在那儿住了几天。

第二天吃早点时，儿子洒了一点牛奶。按在家里的规矩，洒了东西就要受罚，因此他只能吃面包和盐。

卡尔本来就喜欢喝牛奶，再加上E牧师全家非常喜欢他，为了他的到来，还给他特意调制了一种牛奶，并添上了最好的点心。这对儿子简直诱惑不小。

卡尔在洒掉牛奶后先是脸稍红了一下，迟疑了一会儿，但终于不喝了。

我故意装作没看见。

E牧师家的人看到这种情况，内心着急了，多次劝他喝牛奶，可儿子还是不喝，并十分不好意思地说："因为我洒了奶，就不能再喝了。"

E牧师家的人还是再三地劝说他："没关系，一点关系也没有，喝吧，喝吧。"

我在旁边一边吃着点心，一边仍然故意装着没看见。儿子还是坚持不喝，在万般无奈之下，过于疼爱卡尔的E牧师全家就向我进攻了，他们推测一定是由于我训斥了儿子。

为了打破僵持局面，我让儿子出去一会，然后向牧师全家说明了理由。

他们听后责怪我："对一个刚6岁的孩子因为一点点过错就限制他喜欢吃喝的东西，你的教育是否过于严格了。"

我只得费尽口舌加以解释："不，儿子并不是因为惧怕我才不喝的，而是因为他从内心里认识到这是约束自己的纪律，所以才忍住不喝的。"

在听了我的解释后，E牧师全家还是不相信，于是我只好通过做一个试验来揭示事实真相。

"既然这样，"我起身对他们说，"现在我们来试验一下，我先离开这个房间，你们再把我儿子叫来，劝他喝，看他是否会喝。”

说完，我就走开了。

待我离开房间后，他们把我儿子叫进屋里，热情地劝他喝牛奶、吃点心，但毫无结果。

接着他们又换了新牛奶，拿来新点心诱我儿子说：“我们不告诉你爸爸，吃吧！”但儿子还是不吃，还不断地对他们说：“尽管爸爸看不见，上帝却能看见，我不能做撒谎的事。”

E牧师说：“我们马上要去郊外散步，你什么都不吃，途中要挨饿的。”

儿子回答说：“不要紧。”

实在没有办法了，他们只好把我叫进去，儿子流着热泪如实地向我报告了情况。

我冷静地听完后，便对他说：“卡尔，你对自己良心的惩罚已经够了。因为马上要去散步，为了不辜负大家的心意，把牛奶和点心吃了，然后我们好出发。”

儿子听完我的话，才高兴地把牛奶喝了。仅仅6岁的孩子就有这样的自制能力，E牧师全家都深感不解。

很多人会认为我的教育过于严格了。我不否认，从卡尔与一般孩子的行为方式看，这种教育在某种意义上确实是很严格的。但是，这种严格并没有使儿子感到痛苦。

因为对儿子的严格教育从他很小的时候就开始了。卡尔已经养成了习惯，也就不会感到有任何痛苦。

儿子总会向他的父亲学习，父亲不仅是儿子最初的教师，还是他可以学习的榜样。对孩子要严格，首先的是自己对自己也要求严格。

我是个信仰上帝的人，即使有一天站在上帝面前，我也会这样说的。

我对儿子的严格在不自觉中已经变成了他对自己的严格要求。我时常告诫他，没有人能够约束你，只有上帝和你自己。

卡尔从很小的时候，他很多好的行为都已经形成了一种自觉。比如，卡尔从来不撒谎，这并不是因为害怕我的惩罚，而是因为他从内心之中认为撒谎是不对的。

卡尔的严格要求完全来自于他内心的一种力量。作为他的父亲，我想做的正是这一点，让一切好的、美的、崇高的东西在儿子身上都成为一种本性，一种自觉。

从小让儿子形成这种美好的心灵，是我的责任。我不愿意在他幼小之时因为没有得到良好的指导而失去方向。

不要以为孩子太小就不懂得道理

想要把孩子培养成诚实和正直的人，必须从小开始对他严格教育。

很多父母都会发现，孩子很小的时候就开始撒谎。撒谎的原因是很多的，有善意的撒谎，也有恶意的撒谎。

我认为，幼儿的撒谎很多是善意的。当孩子做错事后，为了逃脱父母的责怪，他们一般会撒谎。针对这种情况，父母应该很细心地了解孩子的内心世界，首先应该知道他们撒谎的原因，然后采取合理的方式去教育他们。

不要以为孩子太小就不懂得道理，千万不要小看他们，他们能够懂的。

卡尔两岁的时候，在餐桌上打翻了一个水杯。当时我

和他的母亲都不在场。因为那天我去了别的教区，只有母亲和他在一起。母亲只去了别的房间一会儿，回来就发现餐桌被弄湿了，而卡尔的水杯都空了。

“小卡尔，是你弄翻了水杯吗?”儿子的母亲问他。

卡尔一个劲地摇头否认。

母亲看着他机灵可爱的样子忍不住笑了起来，明知道是儿子弄翻了水杯却没有责备他。

晚上我回家后，卡尔的母亲把这件事告诉了我。

我仔细想了想，认为虽然今天我不在场，但还是有必要和儿子谈一谈。

“小子，今天是你弄翻了水杯吗?”我严肃地问他。

儿子仍然摇头否认。

“卡尔，我希望你能对我说实话，无论是不是你干的，你都应该说实话。虽然我和你的母亲都没有见到，但上帝会看见的。”我板着脸说：“我和你母亲，还有上帝都不喜欢撒谎的孩子。”

后来，卡尔埋着头承认是自己干的。我没有责怪他。

我知道，打翻水杯这件事本身比起养成孩子撒谎的习惯简直是微不足道的。

很多父母认为孩子小小的谎言没有什么危害性，甚至还觉得他们很可爱。我可不这样认为。撒谎一旦成了习惯，在他们长大后就会变成罪恶的源泉。当那种习惯形成后再去改变它，只会是徒劳罢了。

撒谎腐蚀了人与人之间的亲密关系，滋长了不信任，损坏了互相信任的美德。说谎意味着不尊重被骗对象。与经常撒谎的人在一起生活几乎是不可能的。在卡尔稍长大后，我就给他讲这些更深一点的道理。但在他幼小的时候，我一定会告诉他，撒谎是不对的，是会遭到惩罚的。

认识卡尔的人都会说他是一个诚实的孩子。我想儿子惟一的“谎言”就是否认他打翻了那个水杯。

在以后很多的日子中，无论他做了什么错事，都会勇于承认。至今，我还没有听谁说过卡尔撒过谎。

以身作则先尊重儿子

有一次，卡尔想吃一块点心。我没有给他，因为我们刚刚吃过晚餐，过多的吃喝会影响他的健康。不到两岁的儿子发起脾气来，他躺在地上，大哭大闹。他的母亲看不过去了，连忙答应了他的要求，她拿着儿子渴望的那块点心说：“好啦，卡尔，快起来。”卡尔的哭闹取得了胜利，他得到了那块好吃的点心。

当时，我并没有说什么，但我认识到，卡尔的哭闹是一种对父母权力的挑战，并且在这挑战中取得了胜利。

后来，我和卡尔的母亲谈到了这件事，并把我的想法告诉了她。

我认为面对儿子这种哭闹的挑战是不应该去迁就他的。由于儿子还小，这种迁就的恶果不易看出来，但已经种下了不良的因素。如果儿子长到了十四五岁，仍然以这样的方式对他的话，他将会变成一个蛮横无礼的人。

由于他知道哭闹能得到他想要的东西，他还会哭闹，长大之后，他的能力，他的方式就不仅仅是哭闹了。那种无礼将不只是针对他的母亲，还会针对其他的一切人。他会以无礼的方式要求其他的人也来满足他的要求。

我可以找出许多例子来证明，父母与孩子早期的关系会影响孩子将来与人之间的关系。

在以后的日子里，在我的家庭里，再也没有发生这样的事。即便卡尔再怎样哭闹，他也不会得到他不应该得到的东西，不管是食物还是玩具。因为我要让他知道，哭闹是没有用的。

有一天，一位邻居告诉我有关他儿子的事，他觉得他的儿子糟糕透了。由于卡尔学识和品德都是很优秀的，众所周知，所以这位邻居想向我请教怎样教育孩子。

他垂头丧气地告诉我："我和妻子在儿子幼儿期和童年期忽视了对他尊重父母的管教，那时他把整个家庭搅得一团糟。妻子认为他还小，相信以后长大后会变好的。可是事实却不是这样，他变得越来越坏，脾气暴躁、自私贪婪、自以为是。他做错了事，我们简直不敢管他，他甚至比我还厉害。他现在十二岁，已经变成了我们一点也控制不住的野马。他真令人讨厌，时常向我们发脾气，蔑视家庭和父母，似乎家中的一切都不如意。"

面对这样的情况，我能说些什么呢？**尊重是相互的，要求孩子尊重父母，父母就首先应该尊重孩子。而且要在很小的时候就要让孩子养成尊重他人的习惯。**

一味地纵容孩子并不是尊重孩子。如果希望把良好品德传授给孩子，作父母的必须以身作则，必须自己就先具备良好的品德。

父母在教育孩子前，首先要搞清楚什么是对的、什么是错的。应该首先知道采取什么样的方式去对待孩子的过失。

我是这样对待儿子的：如果卡尔在房间里行为笨拙，

撞翻了桌子，打翻了杯子，或者不小心弄坏了我的东西，这些事情并不是他无理取闹，不属于他应该负责的范围。他并没有恶意，并没有向我挑战，只是不小心罢了。这种情况，我不会去责怪和惩罚儿子。只是随时提醒他以后要小心，不要那么鲁莽。

如果卡尔为了引起我的注意或因为某件事不顺他的意而向我挑战的话，我一定会采取一些方式制止和惩罚他。

幸好这样的情况在卡尔身上极为少见。因为在卡尔很小的时候，我就以身作则先尊重他，从来没有无故地对他施加暴力，他尊重我也是极自然的事。

等他长大后就不会听你那一套了

说到孩子的责任心，许多人会这样认为：孩子那么小，懂得什么责任心？责任心是成年人才能够拥有的。我毫不客气地说，这是一个极其错误的论断。

很多的父母在孩子小的时候对与孩子的交流及对培养他的责任心未能给予重视，认为孩子就是孩子，他什么都不懂，等他长大了以后再说吧。殊不知，等他长大之后就不会听你那一套了，或者不等他长大已经满身毛病，年轻的生命浸染得千疮百孔，后悔时，已经太晚了。

没有责任感，没有价值感的孩子，因为找不到自己的生命在社会中的地位与重要性，便会感到迷惘，从而失去创造成就的动力，容易为其它一些物质性的轻浮的事物而吸引，沉溺其中。

对卡尔的教育，我一直力图让他看到自己生活的意义，看到自己的行为能为他人带来影响，让他感到自己是为人所属，是有用处的，从此而生出自豪感和责任心。随着年龄的增长与社会接触面的扩大，这种责任心与自豪感的内容也会增长、扩大，不只局限于自己的家庭，但从家庭中培养出来的这种感觉却是未来责任感的基础，家庭没有这种基础，对社会对人类的责任感与使命感便不知从何而来。

在我的家庭中，始终让儿子充当一些有意义的角色，使他感到自己的行为对别人产生的重要性，同时也培养他战胜自己弱点、增长各种能力的信心。

我和卡尔的母亲常常有意识地分派给儿子一些力所能及且与他年龄相当的劳动任务。比如分担适度的家务，例如打扫卫生，负责为花草浇水等等。我们与卡尔平等地交流，认为这是培养他责任心的一种方式，我们不但倾听他的心声、感受，还同他谈些自己的喜怒哀乐。当然，内容应该是儿子所能接受的。

有的人会认为："大人的事怎么可以同孩子讲，我哪里有时间去和孩子闲扯呢?"其实不然，孩子的理解力是很强的，而且对外界的观察很敏锐，只不过他们的心理活动有时被成年人忽略。

我常常会听到儿子的问话："妈妈怎么啦？怎么不高兴啦?"这是孩子关心父母的一种表现，是我们应当积极鼓励的一种倾向。但很多的母亲却这样回答："没有不高兴。"或"大人的事，你不懂。"而且以为对家里其它的事，更是与孩子无关，久而久之，给孩子留下的印象就是："这家里的事与我没有什么关系，我只要不惹麻烦，衣来伸手，饭来张口就可以了。"

我不喜欢这样的父母，他们对孩子的这种忽视只能让孩子失去本来可以培养起来的责任感。

有一次，一位十六岁的少年找到我，向我倾诉了他内心的苦恼。他说他的父母酗酒，经常打他的母亲和妹妹们。有一天，他实在无法忍受了，就去问父亲为什么这样。可父亲说："你还有脸问我？你早该去挣钱养活自己和妹妹们了！"当时他很难过，因为他从来没有考虑过这个问题，小时候父母没有教育他应该怎样做。这位少年告诉我，在这之前，他只知道和别的孩子到处去玩，只是吃饭的时候才回家，也从没有考虑过父母和妹妹们的事。那天，他父亲对他说的话令他吃惊。他说，如果早有人教他应该怎么做的话，他可能现在会把母亲和妹妹照顾得非常好。少年告诉我，他现在觉得自己是个罪人。

多么好的孩子啊！他的天性是多么的纯良，只不过是因为没有得到很好的早期教育，而白白地浪费了大好时光。

后来，这个少年经常来找我，诉说他的内心世界，我也尽力帮助他学习知识，教他做人的道理。现在，这个少年已经是个非常棒的小伙子了，他娶了妻子，用自己的勤奋劳动振救了一个快要破败的家庭。他的努力促使父亲改掉了酗酒的习惯，让他的母亲过上了幸福的生活，并把两个妹妹送进了学校。

对待儿子，行就是行，不行就是不行

我对待儿子，一惯是是非分明、始终如一，行就是行，不行就是不行。一切都要认真，这会对孩子产生良好的影响。不允许的事，一开始就不允许，这样对孩子就没有什么痛

苦。有时答应,有时不答应,反而会给孩子带来痛苦。

我周围的很多父母们，他们的“禁律”出尔反尔，反复无常，不能始终如一。有时行，有时却又变得不行了。这样久而久之，就在孩子的心灵上很早就打下父母的“禁律”是可以打破的烙印。父母对自己的言行都那么草率，那么不认真，你怎么去教育孩子认真呢。

要教育好孩子，父母必须对事物的好坏有一个始终如一的定见，无定见是教育孩子的最大禁忌。

在孩子2岁的时候，我就开始从细微之处培养他良好的生活习惯。即使在餐桌上，儿子也会受到严格的教育，我告诉他，盛入自己盘中的食物一定要吃光，这样能够培养起他勤俭节约的意识，同时又是一种磨炼。

如果卡尔想吃水果或点心，不论那种诱惑力有多大，我也会让他必须先吃完饭菜。我不会对他有丝毫的通融。

由于我和儿子的母亲对孩子正确行为的反复训练和动之以情晓之以理的教育，时间一长成为自然，儿子就把遵守适当规则当作了自己的本分。

我希望卡尔在对生活成长过程中能够确立有“分寸”的意识,我一直按照这样的原则去教导他。我要求他诚实、守信、准时,因为这些都是作为人应该具有的优秀品质。

父母的言行一致、赏罚分明，会对孩子产生积极的效果。如果你要求孩子不说谎话，你自己就不能采取欺骗吓唬的手段；如果事先与孩子定好了制度，父母就更要认真对待。

在一次散步中，我发现了一件令人深思的事情。在散步的过程中，邻居史密斯太太发现女儿的裙子被弄脏了，她立刻生气起来，开始冲着女儿大声责骂。看见女儿大哭以后，她又马上给了女儿一小块点心。我问史太太："你为什么责骂女儿呢?""她总是这样经常弄脏自己的裙子。"史太太这样回答。"可您为什么又给她一块点心呢?是为了表扬她的行为呢还是为了给她受责骂的补偿?"史太太哑口无言，她不知应该怎样回答我。

这时，小女孩已经被弄得糊里糊涂，她不知道为什么母亲会责骂她，更不知道挨了骂后她为什么又得到了点心。母亲这样的做法，让女儿弄不清是非，这对她的成长是相当有害的。

我对儿子的奖与罚都不太频繁，但它们一旦实施确实对儿子有着重要的作用。我对卡尔的奖赏绝不会仅停留物质上，而是要让他体会到奋斗与创造的真正喜悦。

我时常教育儿子，读书、品学优良是为了他自己的成长，而家务活本身也是每个家庭成员必须履行的职责。如果当卡尔有相当出色的表现，我会给他一定的物质奖赏，还会带他去一个他向往的地方。

对儿子的惩罚，我一向讲究原则。我对他的惩罚一定要让他心服口服，否则惩罚便失去了教育的作用。惩罚之前，我总会给他警告，他犯错之后我一定言出必行，并且要对他讲清原因，告诉他我为什么要惩罚他。

我认为必须让儿子懂得他的一举一动能产生不同的后果，那么随着时间的推移，他一定会形成什么事都认真的习惯，他会知道无论做什么事都不能马马虎虎。

我曾经对卡尔说过："你必须早上按时起床，否则我会认为你是放弃你的早餐，你要为你的行为负责。"

有一次他起床太晚，超过了给他规定的时间。当他来到餐桌前时，我们早已经收拾好了一切，并把他的早餐收

走了。

卡尔看着我，似乎想为自己的过失辩解一番，但我先开口对他说："真遗憾！我也很想把牛奶和面包留在你的位置上，但我们以前有过约定，我不能随意破坏它。这只能怪你自己。"

这样的情况下，早餐本身并不是最重要的。重要的是他应该知道，我们以前的约定是认真的，是必须遵守的。

自己的事自己解决

幼小的生命来到这个大千世界，由于他们的弱小，他们会感到束手无策。但是，尽管他们是那么的脆弱，仍然有勇气进行各种尝试，学习各种方法，使自己适应，使自己能够融入世界之中。

我坚信，不管儿子现在有多么弱小，他终有一日会成为能够在世界中立足的强者。我付出全部的爱去帮助他来尝试融入这个新世界，让他去学习他不懂的东西。

虽然他年幼、弱小，但我从来不怀疑他的能力。很多人认为只有在某一个年龄段，孩子才能做某一种事情。

我从来不这样认为，我看重的是在儿子幼小的心灵中建立起的自信心。

卡尔两岁时就主动地帮助母亲收拾桌子。每当家中的客人看到他手中拿起一个盘子的时候，他们总会说："卡尔，小心，不要把它打碎了。"在这样的情况下，我会对好心的客人说："没什么，卡尔会把它们收拾好的。"

好心的客人不知道，如果我不允许儿子去碰那些盘子，或许我会永远保住那个盘子,但一声“不允许”会在他的信心上留下一个阴影,可能会推迟他某种能力的发展。

当卡尔尝试自身穿衣服的时候，经常把衣服穿反。我和他的母亲从来没有嘲笑或责骂过他。我不能让他觉得自己无能，而是耐心地教他。

我还鼓励他自己收拾房间，即使他的“动作”很糟糕，我也会夸奖他一番。房间收拾得是否整洁并不重要，对于他来说，他已经做了，这已足够。

在这些亲手整理之中，卡尔在探索，在锻炼。我深信只有通过锻炼和闯荡，他才会使自己成为一个有用的人。

当孩子犯错误，或做一件事没有成功的时候，我们不应该用语言和行动向他们证明他们的失败。我们应该清楚，做一件事情失败了只能说明孩子缺乏经验和技巧，并不能证明他本身的无能或是他不愿意做。父母有责任耐心地去指导他们。

做为父母，应该培养孩子敢于犯错误、敢于失败的行为。孩子和成人一样有能力去犯错误，也同样有能力去纠正和改正错误，敢于犯错误和改正错误是同样珍贵的。

只有这样的鼓励才能培养出孩子的自信心和独立能力。所以我在对儿子的教育中，尽量鼓励他去做他力所能及的事。遇到问题的时候，我总是让卡尔尽力想办法自己解决。

对于卡尔，很早我就有意地锻炼他过一种有规律的生活。让他学会周密地计划自己的时间，完成他的学习任务，发挥他的兴趣爱好。这并非是想把他限制在条条框框之中，而是要让他充分地发挥自己的天赋才能，达到真正地完善自己。

第 7 章

什么样的教育才不会损害孩子

孩子由于年幼无知，经常会犯这样那样的错误，父母应该对他们严格地管教。但不能因为他们不懂事就不尊重他们。我一直主张，即使是小孩子也应把它们作为成年人一样对待，要像尊重成年人一样尊重他们。

我对儿子的严格完全取决于道理

我的教育方法是严格的，但这并不是专制。所谓专制，是指强迫孩子盲从。我从来不会这样对儿子，我对儿子的严格完全取决于道理。

我非常反对那种专制教育，无论在教育方法上还是其他方面，我都是这样做的。注重讲道理，以理服人，比其他一切的强迫都更加有力量。我对卡尔的严格之所以没有对他造成伤害，原因就在这里。

在对儿子的教育上，我首先是尊重他。在不伤他自尊心的前提下给他讲某些他能够理解的道理。

我反对那种在别人面前贬低孩子的做法，每当他做错什么事、受到惩罚时我更不会当着众人的面嘲笑和奚落他。我时刻都让儿子感到“爸爸是真心实意地关心我。”

每当我告诉他必须做一件事时，我会向他讲明白做这件事的必要性，告诉这是他应该做的份内的事，而并非是我对他的强迫。

如果儿子在玩耍时无意间弄坏了邻居的花园或踩伤了别人的草地，我一定会叫他去道歉。无论邻居是否知道，我都要求他主动去。

有一天傍晚，卡尔在外面兴致勃勃地摹仿古代骑士。他用一根长长的棍子代替宝剑，独自和虚拟的强盗作战。我看见他的剑法绝妙极了，或是刺，或是砍。在这种玩耍中，他早已把自己当成了真正的英雄。我很乐意看到他这样，儿子的这些游戏非常有利于他的想像力，也有利于身体的健康。在前面我说过，我不喜欢死气沉沉的生活，不希望卡尔变成呆头呆脑的所谓学者。所以对儿子的这种活泼的玩耍方式，我极力赞成。

忽然，他“呀”的叫了一声，但马上愣在那里。原来，在“激战”中，卡尔一“剑”砍去，将邻居花园中的一束花砍倒在地，花瓣和枝叶在半空中飞舞。我保持住冷静观察他，看他怎么处理这件事。

卡尔看了看邻居的房门，并没有人出来。他也没有发现我正在看着他。当他正想转身“逃跑”的时候，我叫住了他。

“卡尔……”

这时，儿子知道这件事已经无法逃脱，慢慢地向我走来。

“你知道你犯了个错误吗?”

“知道。”儿子小声地回答。

“那你应该怎么办呢?”我严肃地问他。

“不知道。”儿子低下了头。

“儿子，听我说。你应该立刻去敲邻居的门，向他们道歉。”

“可是，我并不是有意的。”卡尔似乎在辩解，他并不知道道歉的涵义。

“卡尔，你要记住，人们犯下错误，在很多情况下都不是有意的。但错误已经犯下，你就要为自己的行为负责。虽然邻居没有看见是你干的，但他们确实受到了伤害。你应该去道歉，人不能伤害了别人就逃之夭夭。你不是在扮演古代的骑士吗?骑士是勇敢的人……。”

“爸爸，我明白了。”卡尔像一个真正的骑士那样敲开了邻居的房门。

第二天，我碰见邻居。邻居根本没有提起花被损坏的事。他只说了一句话：“威特牧师，您儿子是个诚实的人。”

英雄骑士是卡尔的崇拜对象。我用骑士来激励他，使他感觉到道歉并不是什么难为情的事，也让他懂得不论有意还是无意之间犯下的错误都应该由自己负责。

在这种情况下，我没有选择冲着儿子大声嚷嚷的做法。那样不仅惊动了邻居也伤害了儿子的自尊心，并且还会有可能把事态扩大。

很多的父母把对孩子的严格教育理解为专制，不知不觉中把自己变成暴君而把孩子变成唯命是从的懦夫。他们以为孩子不听话就应该以粗暴方式对待他们，这种做法的后果不但不能让孩子正确地认识自己，反而使孩子对父母甚至对所有人产生怨恨。

我曾经听说过这样一件事：

有个孩子非常喜欢家里喂的一只羊，他时常独自一个人牵着羊去山坡上玩耍，每当他看到心爱的羊吃着山上的嫩草就感到愉乐。在孩子幼小的心灵中，那只羊是他最好的朋友，他把自己听来的故事和幻想都讲给羊听。他觉得和羊一起在山坡上晒太阳是最幸福的事。

可是有一天，孩子躺在山坡的阳光下睡着了，他做的梦都是和羊呆在一起的情景。当他醒来时发现羊不见了。这只羊从来都不会走远，但今天确实是不见了。孩子焦急地走遍了整个山坡，仍然没有找到。他哭了，因为他害怕永远也再见不到这个最心爱的伙伴。

天快黑了，他赶紧跑回家。他想把这件事告诉父亲，请他来帮助找回羊。没有想到，他得到的只是一顿暴打。当父亲听说羊不见之后，什么情况都没有问就举起了棍子。无情的棍子打得孩子鼻青脸肿，额头被打破出血。

“我只有这只羊，不把它找到就永远别回来……。”说完，父亲就把他推出了门外。

孩子难过极了。

他独自在黑暗的山坡上奔跑。他越跑越想不通，父亲为什么会打他呢？他又不是有意弄丢了羊。“羊不见了，我也很难过啊。”“为了羊，父亲叫我永远不要回去，难道我还不如一只羊吗？”

不久，孩子看见远处有个小白点。当他走近时，他看见了那只羊。它正在悠闲地吃着草呢。

这时，受到粗暴对待的孩子一反常态，他没有像往常那样去抱起这只羊而是举起了一块大石头。

"就因为你……因为你父亲才会这样对待我……"孩子一边哭，一边将石头向羊身上砸去。

第二天，人们在山坡的一块岩石后发现了那只已死去的羊。而那孩子也永远没有再回家。

我们可以想像，那个孩子心里当时有多么的痛，他亲手杀了自己最心爱的朋友。

父母的粗暴和专制在孩子身上留下的阴影将永远不可磨灭，这种阴影会让一个本来善良的孩子变成凶残的魔鬼。

不蒙蔽孩子的理性，不损坏孩子的判断力

我认为教育上至关重要的就是不蒙蔽孩子的理性，不破坏孩子的判断力。一旦孩子失去正常的判断力，那么他一生就不能正确地判断事物的正误好坏了。

如果卡尔对他人说了些鲁莽的话，我并不马上斥责他，而是先立即给对方道歉。我会向对方说："我儿子是在乡下长大的，所以才说出这样的话来，请您不要介意。"这时儿子就已省悟到自己可能说了不合适的话，过后他一定会询问个中原因。

等儿子问我时，我会向他说明："你刚才说的那些话从道理上来讲也没什么不对，而且我也是那样认为的。但在别人面前那样说就不好了。难道你没有发现，当你说了那些话后，彼德先生的脸都臊得发红了！人家只是因为喜

欢你，又碍着爸爸的面子，所以才没有作声。但他一定很生气，后来彼德先生之所以一直沉默不语，就是因为你说了那种话。”

我这样对儿子讲明道理，我想绝不会伤害他的判断力。

为了说明我这种教育方法的好处，我想对此作进一步的论述。

假设在我向儿子提出批评以后，他继续反问：“可是我说的是真的呀。”这时，我会进一步开导他：“是的，你说的是真的。但是彼德很可能想：‘我有我的想法，你那么小的孩子知道什么。’再说，即使你说的话是真的，你也没有必要非将它说出来不可。因为那已经是人人皆知的事，你没有发现别的人都是沉默不语吗？如果你认为只有你才知道，那你就太傻了。再打个比方，大人指责孩子的缺点本来是理所当然的，因为孩子在成长过程中，有许多缺点，谈出来了并不是什么可耻的事。即使这样，人们对你的缺点不是都装着不知道吗？如果你以为人们都不知道你的缺点，那就大错特错了。事实上，人们已知道你的错误但都沉默不语，这是为了考虑你的面子，为了不使你丢脸而已。这样你就明白了人们对你的好意了吧。而你在发现别人的缺点以后应该怎么做呢？也应当这样。圣经上不是说：‘自己不愿做的，也绝不要让邻人去做？’道理就是这样。所以在人面前，揭别人的缺点和过错是很不好的。”

听了这样的开导后，儿子由于年幼肯定还是感到困惑，因为他的心理还不像成年人那样复杂，而且这种处世方法很可能被视为不诚实或过早地世故。但我觉得我这样做很有道理。

假如儿子还是不理解，又提出："那不就得撒谎吗？"我就继续开导他："不，不能说谎，说谎就成了说谎的人，伪君子。你没有必要说谎，只要沉默就可以了。如果所有的人都互相挑剔别人的毛病和过错，并在别人面前宣扬，那么世界不就成了光是吵架的世界了吗？那我们也就不能安心地做事和生活了。"

不过，对卡尔，我用不着说这么多，几句话他便能领悟到自己的过错，含着眼泪保证不再重犯。

我就是这样教育儿子的。

我相信我的教育是合情合理的，态度上对卡尔从不专制，也就不会蒙蔽他的理性，更不会伤害儿子的判断力。

从某种方面说，我的方法可以称作上是"成人化"的教育，之所以能取得如此成效，还得益于对儿子的语言潜能开发。

由于儿子语汇丰富，通达词义，所以一点就透。世间的一般孩子，由于语汇的限制，往往在实施合理的教育时行不通。

我们的周围有很多的父母见到孩子在某种场合的不良表现后，要么当面训斥，有的还拳脚相加，还怪罪自己孩子的不礼貌，但就是不检查一下自己的教育方法。

为了阐明我的教育方法，我不得不举一些例子。我想无论再多的理论也没有事实更有说服力吧。

安多纳德太太的儿子卡尔，这个和我儿子同名的小男孩，年龄比小卡尔大两岁，也是一个非常机灵的小家伙。但我发现他有很多不好的习惯，比如欺负比自己小的孩子或喜欢揭别人的短处，等等。

有一天我在路上偶然和安多纳德一家相遇，我友好地和他们寒暄着，并特意摸了摸大卡尔的头以示友好。

“威特牧师，我觉得你就像一具尸体，你看你的脸多苍白啊!”大卡尔这个小机灵毫不客气地批评起我来。

其实他说的是真话，至少某一方面是这样。可不是吗？因为这几天我不小心受了凉，病了几天。我的脸苍白是很正常的事。如果是小卡尔，他绝不会这样地我说话，他知道这样说是不礼貌的。何况，那个大卡尔所用的词汇是那样的叫人无法接受。

这种情况，我当然不会为一个小孩子生气，但当时却已经让我不知怎么说话了。

安多纳德太太气极了，她采取了我从来都不会采用的方式。

“太不像话了，你怎么这样对威特先生说话。”她狠狠地给了她儿子一记耳光。

我连忙上前劝阻。可是大卡尔并没有因此而闭上他的嘴巴：

“我说的是实话，你看看他的脸，……我没有瞎说……。”

“你干嘛打我？你干嘛打我……。”大卡尔冲着母亲喊叫起来。

安多纳德太太害怕极了，她只能一边拖着自己的儿子，一边逃跑似的离开。

看着他们远去，我叹了一口气。大卡尔回去肯定又会挨顿毒打了。

我很明白，虽然大卡尔爱揭人短处的毛病早有所闻，但这一次他可能不完全是故意的。他只是找不到一种合适的方式表达他的看法。如果他对我说：“威特先生，您的脸色怎么不像往常那样红润而有些苍白呢？您生病了吗？”

这样，他表达了同样的意思，却传达出不同的意义。前者是恶毒的讽刺，而后者却是一种对别人的关心了。

至于安多纳德太太，她的做法更加不正确。她应该用一种大家都能接受的方式来解决这个矛盾，而不仅仅是对孩子的惩罚。从这一点看来，她对孩子平时的教育是多么的不够，方法是多么的不妥。

由此可见，让孩子具备丰富的语言知识，让他们更加明辨事理是多么的重要。我真希望安多纳德太太能够明白这个道理，不然，那个和我儿子同名的孩子将不会有一个美好的人生。

不能错误地批评孩子

对孩子的批评，最重要的是要让孩子心服口服。这句话说起来很简单，做起来却不是想像的那么容易。

首先，你要用孩子能够理解的道理和事例去教育他，如果父母在某一件事上自己都还不完全理解它，那怎么去说服孩子呢？给孩子讲道理的时候，要给他说一些容易理解的道理。不能用某种高深难测的东西强行向他们灌输。书本上的道理应该给他们讲，但不能搬弄出那些诲涩的文字，那种学究式的大道理孩子是很难接受的。

特别应该注意的是：批评孩子不等于惩罚孩子或把孩子当作自己的出气筒。永远记住：父母的一举一动，一言一行都会对孩子产生永久的影响。

我在对卡尔的教育上，一直特别仔细地观察他所做的事，尽量去理解他。即使需要就某件事批评他的时候，也会在弄清真相后再作评价。

比如，在某些时候，我突然发现儿子对学习的兴趣大为下降。由于卡尔一直是个喜爱学习的孩子，有这样的情况特别容易引起我的注意。这时，我的头脑中反映的不是"这个孩子不勤奋学习"，而是"卡尔怎么啦，他遇到了什么问题或不愉快的事吗?"

这时，我并不是马上去训斥他而是等到一个合适的时机耐心地和他交谈。有一次我发现他捧着书本保持一个姿势很久，表面上看起来他在学习，实际上他很久都没有翻动一页，只是坐在那里出神。

等他到了休息的时间，我对他说："无论做什么事都要专心致志，只有集中精力才会有很好的效果，如果不把心思放在一处，即使花费很多时间也没有用。不集中全力去学习和工作等于浪费生命。"

卡尔看着我小声地说："爸爸，您也注意到我学习时走神了吗?"

"是的，我认为你是个很好的孩子，自从我教你认字以来你一直对学习保持着浓厚的兴趣，可今天为什么走神了呢？儿子，告诉我，是你忽然对学习不感兴趣了吗?"

"不，爸爸……"卡尔想了很久后对我说："我仍然觉得学习很有趣，当我慢慢地掌握了那些知识后我真感到幸福。"

"可是为什么你今天在学习时走神呢?"我不解地问道。

"只是……只是……"

"只是什么呢？没关系，告诉爸爸，好吗?"我想，卡尔的内心中一定有什么自己不能解开的疑问。

“只是我今天突然想到，我学到那么多的东西到底有什么用呢?”卡尔说出了他的心里话，“我在想，学习木匠活可以作家具和建造房屋，学铁匠活可以制造炊具和农具，但我学了那么多的语言和诗歌能做什么呢？仅仅是为了好玩吗?”

他这样回答，在我的心里面产生了一种喜悦的感觉，因为我知道卡尔已经开始思考更深的问题了。

这是一个对他进行深一层教育的好时机。

“儿子，你想到了这个问题我很高兴，因为你是在思考。”我首先肯定了他的这一行为，然后尽我的力量去帮助他解开心中的疑惑。

“首先，知识是一切力量的源泉。如果你没有起码的对力学的理解，你怎么会知道一座房屋需要多大的木材去支撑它呢？如果没有数学，你怎么计算需要多少材料？你怎么知道哪一种设计最合理？如果你没有审美知识，怎么能建造出漂亮的房屋呢？如果没有知识作为基础，这样的木匠可能永远也建造不起房屋，他只能天天面对木头发呆，恐怕他自己也会变成一块木头呢!”我尽量将这些道理说得活泼有趣。

卡尔听到这里“吃吃”地笑出声来。

“如果铁匠不懂得把铁块放在火里烧红后才可以使它变形，他怎么能做出那些炊具呢？这里面就有物理知识，如果一个铁匠连这个都不懂，他可能会被那些大铁块逼疯的，说不定还会用牙去咬它们呢?”我做了一个用牙咬的动作，“你猜猜会有什么结果?”

“他一定会把牙搞掉的……”，这时卡尔哈哈大笑起来。

“儿子，好好记住。诗歌、文学、绘画、音乐、哲学，这都是人类智慧的产物，是世界上最美好的东西。还有语言文字，这是只有人才具有的。为什么我教你各种不同的语言呢？并不是一定要你培养成外交家或是翻译，而是要让你能够更好地理解不同国家、不同地域的文化。

你说你喜欢但丁，如果你不懂意大利语，你怎么能够真正地去理解但丁呢？那些美妙的诗句，你只有用他本国的语言才能够完全地体会。

还有更重要的，儿子，就像你自己说的，你在学习中体会到了快乐，感到了幸福，难道这还不够吗？一个人有了快乐和幸福，他还有什么不满足的吗？”

儿子听到这里，眼睛中散发出喜悦的光芒，他心中的疑团完全解开了。

我认为，儿子之所以有够学有所成，关健在于他的求知欲和拥有在学习中体会到的幸福感。

作为父亲，面对孩子的疑惑应该耐心地帮助他解答。如果对孩子的行为，不去思考而是片面地理解，那么不但不能对儿子有所帮助，反而会产生负面影响。

现在我来做一个假设，如果当卡尔学习走神的时候，我不去关心和帮助他，而是采取责骂的方法，那么上面的情况就完全不同了：

卡尔捧着书坐在那里出神。

我发现他并没有翻动一页书，而只是装装样子。

“卡尔，你这小混蛋，你在做什么？”我冲上去给了卡尔一记耳光。

“我在看书……”卡尔被我的粗暴吓呆了，吞吞吐吐地撒了个谎，虽然他本不想这样。

“胡说，你还想骗我。”我冲着他大吼起来。“你不知道学习时走神是不对的吗?”

“……”卡尔无法回答。

“没听见我的问话吗? ……为什么不说话。”

“我……我在想……，”卡尔本想对我说他的想法，但这时已经说不出话来。

“你想什么? 快说，让你学习你却东想西想，太不像话了。”

“我在想学这些东西有什么用，”卡尔鼓足勇气表达出他的想法，“铁匠能够制作农具，木匠能够修房子，学这些语言和文字有什么用呢?”

“你这个没出息的东西，”我又给他一记耳光，“简直不求上进，甘愿去作那些靠体力吃饭的粗人，我简直白教你了……。”

“可是，我不懂……”

“不懂什么? 我叫你学你就学，有什么懂不懂的。”

这样对待儿子的父亲是应该被打下地狱的，幸好我不是这样。

这种做法既失去了一个教导孩子的良机，也伤害了孩子的自尊心，糟糕的是会给儿子内心留下极恶劣的印象。他会认为，学习是一件可怕的事，学习的目的就是为了讨好父亲。

这样的教育，怎么能够培养出很好的人材呢? 连孩子本身的求知欲都在倾刻间抹杀掉，还能谈得上其它的吗?

我认为，一个人之所以变得自私、凶恶、虚伪、懦弱，全都来源于这种极为低劣的教育。或者说，这根本谈不上是什么教育。

绝不能伤害孩子的自尊心

我一直主张，即使是小孩子也应把它们作为成年人一样对待，要像尊重成年人一样尊重他们。

对孩子的教育应该严格，但严格不能伤害孩子的自尊心。孩子的自尊心如果受到了伤害，那么其结果是可怕的。一个本来可以取得巨大成就的孩子，一个坚强好学的孩子，由于失去了自尊心，会很快成为一个懦夫，一个无赖。

为了使孩子能自重，必须信任他们。无论是大人还是孩子，受到别人的信任就能够自我尊重。管束孩子不许这个，不许那个，还不如信任他们，耐心地说服他们更有效。如果父母始终把孩子当坏人对待，他就可能成为坏人。这样的孩子在父母的压力之下，渐渐失去做人的信心。没有了信心，他的自尊心就会很自然地消失了。

由于孩子的自尊心非常重要，所以在对儿子的严格教育中，我始终极为重视尽量不在任何情况下伤害他的自尊心。无论是有意还是无意，都不能对他的自尊心有丝毫的伤害。

卡尔和我们一起吃饭时，我把他和大人同样对待，和他聊天，讨论饭菜的味道。吃饭时的谈话也是选择他能懂的话题，平等地与他谈话。有的家庭，吃饭时不让孩子说话，父母严肃得吓人，让孩子感觉到吃饭就像是在受刑似的。要么就在饭桌上把孩子的缺点全部翻出来，对他进行各式各样的批评。孩子不仅不能得到吃饭的乐趣，还伤害了他的食欲，更加重要的是让他自己觉得自己一无是处，产生强烈的自卑感。这样的父母，让孩子时刻处在畏畏缩缩、低人一等的状态中，那么他还会有什么自尊心呢？

有些父母，为了使孩子容易管教，故意让孩子怕自己，根本不把孩子当成一个人来平等对待，而且自己像一个君主，孩子像一个奴仆。这样只会让孩子变成一个懦夫。这样的父母，是正在把孩子造成一个失败者。一个懦弱者想在这个社会里获得成功是非常困难的。在我的家庭中，儿子不仅是我的朋友，也是他母亲的好朋友，并且和家里的女佣也是好朋友。我们互相尊重，平等相待。

孩子的很多问题是不合逻辑的。但仔细想一想，大人的知识其实也不外乎是些可笑的东西，所以不论孩子提出什么问题，决不应嘲笑。不但不应嘲笑，而且应该亲切地予以回答。如果父母嘲笑他，他就会因害羞而不再提出问题。提问是孩子获取知识的向导，应充分利用它向孩子传授知识。若遇到自己不懂的问题，可以问问别人，也可以经过研究之后再给他耐心地解答。

父母不应该戏弄孩子，因为孩子受到戏弄，就容易变成不知羞耻的人，变得粗暴，或是用心不良，甚至不把人当人看待。由于小时候受到父母的戏弄，以后成为罪犯而入狱者大有人在。我不仅不戏弄儿子，而且连随便应付他的情况都没有。对于儿子的一切，我都是认真对待的。

对于卡尔，我从来不欺骗他。不仅如此，我从来不欺骗任何一个人，因为欺骗是一种罪行，是上帝所不允许的行为。

如果欺骗了孩子，被他知道了，他就不再相信父母了。父母失掉了孩子的信任，其后果是不堪设想的。欺骗孩子，孩子也学会欺骗他人。

有一次，一位父亲自豪地对我说："我的儿子将来一定会成为一个大政治家。"当问他为什么时，他说："前天，我儿子把他母亲放在碗厨里的菜吃了，把剩下的抹到猫的嘴巴上。"

这样的父亲，我认为是不可救药的。他儿子的欺骗行为肯定都是从他那里学来的。

很多父母把孩子视为玩物。认为孩子这也不能做，那也不能干，一切都包办代替。结果使多数孩子对自己的能力缺乏信心。卡尔的母亲从婴儿时期起，就耐心地教他给妈妈扣衣服上的钮扣。尽管他不会扣，很费时间，但是他的母亲认为这是对孩子进行教育，所以耐心地让他扣。我认为这是非常有益于儿子锻炼自己的方法。

让儿子从小时给母亲扣衣服扣，除了练习手的动作外，还培养了他帮助他人的观念。为此，卡尔母亲还教儿子自己穿鞋、穿衣服。即使很忙，她也要花点时间教儿子自己穿脱衣服，因为这是对孩子的教育。

有些父母对孩子过于溺爱，把孩子视为宝贝，怕跌倒摔伤而不让孩子尽情地玩耍，没有机会锻炼身体。怕用坏了脑子而不对孩子进行教育，不让孩子读书。这都是愚蠢的做法。这种方法只能使孩子成为一个什么都干不了的废人。

还有一些父母为了叫孩子听话，就用可怕的故事吓唬孩子。这样会使孩子满脑子充满恐怖的故事，当他们承受不起之时有可能会精神错乱，应当使他们知道世界上没有什么可怕的东西。由于孩子信任父母，父母说的话他们都信以为真。所以，只要父母注意引导，孩子就不会怕黑暗等。用恶魔和幽灵等吓唬孩子是非常有害的。由于有这种错误的教育方法，世上有许多人终生怯懦、胆小怕事。

我给卡尔讲很多故事，有时也讲神话故事，但我总会给他强调神话故事不是真实的，是人们编造出来的。在故事的选择上，我都是注意给他讲一些光明的、积极向上的英雄故事，目的在于通过故事教会他一些人生道理。比如勇敢，坚定等等。

我认为家庭应该成为孩子的乐园。但是，这并不意识着对孩子放纵。家庭应该是爱、欢乐的殿堂。孩子应该在家庭的关怀下健康地成长。他们应该从小就在家庭中树立起做人的信心，而不是由于不当的教育而使他们失去做人的最重要的自尊心。

第 8 章

我如何教儿子玩和选择朋友

很多人都有这样的观点：孩子如果没有游玩的小朋友就会变得自负或者任性。这种观点极端错误。

在我看来，真实情况恰恰相反：不加选择地让孩子们在一起玩，他们就互相逞能，有可能变成利己主义者，结果沾染上狡猾、虚伪、说谎、任性、嫉妒、憎恨、傲慢、说坏话、争吵、打架、诽谤、挑拨等坏品质。

游戏仅仅是游戏

一个成人变得滑头滑脑、放纵、不能自制、任性，大多是从小没有被管教好的缘故。

放任不管就会使孩子不加选择地和任何一个孩子一起玩，从而有可能沾染上各种坏习惯，有时还有可能学会一些坏毛病。我常常看到一些没有管束的孩子们聚在路旁赌博，他们在一起打架，互相用肮脏的语言谩骂着。不知有多少次，我去劝说这些孩子，也不知道为他们拉过多少次架。

每当看到这样的情景，我都感到非常的寒心，他们本可以接受很好的教育，成为有礼貌，有学识的孩子，可他们并没有那样。

这些孩子很不懂事，常常互相抛甩石头，结果造成流血、受伤、甚至眼睛被打坏而致残，这是多么可怕的事！即使是抛雪球，有的孩子也去选那种像石头一样硬的冻雪块，使对方受到各种伤害。

我看到瞎眼睛、缺鼻子、少指头、坏了脚的孩子时，就常常寻问其原因，结果大都是在玩耍中受伤所致。这使我时常感到毛骨悚然。

卡尔曾经也有一群小伙伴，可当我发现那帮孩子有多么粗野时，便再也不让儿子与他们玩了。在这里，我并不是想说那些孩子本身有什么不好，但孩子毕竟是不懂事的，由于没有大人对他们作出指导，他们经常做出一些傻事来。

安迪是一个健壮的男孩，可以说是那一群小孩子的领导人物。他有威严、聪明，而且有非常强的组织能力，他经常带着那些比他稍小的孩子玩打仗的游戏。

或许安迪天生就有这种才能吧，他把自己的“军队”管理得森然有序。但是有一天，这位“英雄”终于被“敌人”打倒了。

那天，安迪将小伙伴们分成两部分玩攻城堡的游戏。安迪带领五六个小朋友守城堡，另外的几个人扮作攻城的敌人。

安迪挥舞着他的宝剑，一根木棍，英勇地站在一辆拉货的马车上。他一手叉腰，一手拿剑，他将一只脚踩在高大的马车轮上，口中喊着自己的同伴："把敌人打下去……"，这真是一副大英雄的气派。

当时儿子卡尔也在其中，他和安迪并肩作战。"敌人"将石块、树枝向他们猛烈地投掷过来。安迪用"宝剑"把它们一个个地打翻在地。

"一定要守住城堡，"这是安迪和伙伴们一致的想法。可是敌人的冲锋越来越猛，他们终于抵挡不住了。

敌方中的一人，可能是他们的领袖，冲到了马车上，趁安迪不注意时向他的背部狠狠地踢了一脚，安迪"啊"地叫了一声，从马车上栽了下去。

当时，我正在家中接待一位客人，正在和那位远方来的客人谈论教育孩子的问题。卡尔却慌慌张张地跑回了家，他还未进门时我就听到了他惊恐的叫喊声。

"爸爸，不好了……出事了。"

从儿子的表情看来，我知道一定发生了不同寻常的事。

在儿子的带领下，我和客人匆匆地赶到出事的现场。那种情景使我终身难忘，连我的客人都惊恐万分。

当安迪从马车上摔下去的时候，正好踩在一把放在地下的镰刀的木柄上，也许是太巧了，那把镰刀从地下弹了起来，刀锋正好插进安迪的大腿里。

安迪倒在地上，疼痛让他大喊大叫。孩子们没有谁敢去取下镰刀，是的，那太恐怖了。安迪的腿上全是血……。

"安迪真是个大英雄，"事后卡尔这样说。

"儿子，你真的以为他是个英雄吗?"

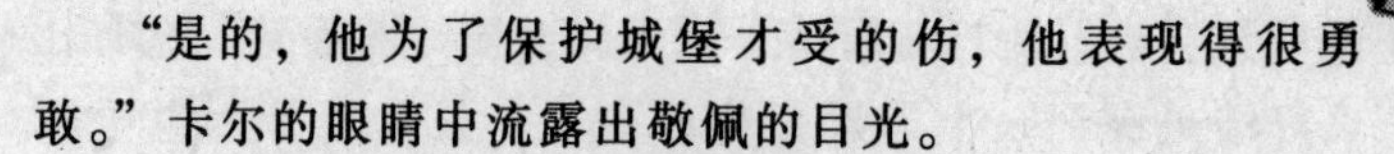

“是的，他为了保护城堡才受的伤，他表现得很勇敢。”卡尔的眼睛中流露出敬佩的目光。

“不，儿子，安迪的做法不叫英雄；至于把他从马车上推下去的那个孩子，更是显得无知。”

“爸爸，您不是说过做人应该勇敢吗？安迪不勇敢吗？”

这时，我发现孩子是多么的单纯，他们分不清哪些是应该做的，哪些是不应该做的。

“儿子，今天你们在做什么？”

“我们在玩攻城堡的游戏。”

“对了，那只是一个游戏。那不是真正的战斗。”我抓住“游戏”这个字眼开导他，让他分清什么是真，什么是假。

“儿子，我知道你们都喜欢那些英雄人物，可是，你要知道，英雄并不意味着鲁莽，并不意味着不顾一切的打打杀杀。”

我抚摸着儿子的头，仔细地给他分析其中的对错。

“既然你们是在玩游戏，而且你们都是好伙伴。为什么非要真打呢？这种打仗的游戏很容易把朋友变成敌人。你看，安迪很有可能会永远记恨把他推下去的那个孩子，因为他受到了伤害。本来很要好的朋友变成了敌人，或许有一天安迪还会去找他报仇呢。我不希望让你和你的朋友们心里面产生仇恨。仇恨会产生邪恶。”

“可是安迪的确很勇敢啊。”卡尔还是没有懂其中的道理。

“我相信他是个勇敢的孩子，也很聪明。但如果成天这样打打杀杀会有什么结果呢？今天打被镰刀砍伤腿，可能明天会被石块打坏眼睛，后天又会被摔断手臂。这有什么好结果呢？一个累累负伤的孩子，长大后什么也干不了。如果他想当一个将军，那么现在就应该懂得保护自己。一个缺胳膊少腿的人，怎么能够去领导军队打击敌人。"

"你们是孩子，不能把握好游戏的分寸。你要知道，游戏仅仅是游戏，不能真刀真枪地干。如果有一天你们上了真正的战场，敢和敌人去拼个你死我活，那才算真正的英雄。

"爸爸，我懂了。"

孩子们在游戏中受到的伤害来源于他们的无知。如果父母不能对他们加以细心的开导，结果往往是极为可怕的。

我时常告诫卡尔，不要去参与那些孩子们的斗殴打架，那种伤害比玩游戏中的伤害更加严重。那不只是对身体的伤害，更重要是会对孩子幼小的心灵中留下不健康的阴影。

天下没有什么比在孩子的心灵中产生仇恨更加可怕的事。仇恨能让一个人虐待他的父母，蔑视周围所有的人，更加会让他陷入孤立无助的境地。

有些孩子由于没有得到家庭细致的教育，不懂得是非善恶。由于父母没有给他们最好的度过童年的方式，他们闲散、无聊。他们不知道世界上有许多美好的东西，他们不知道读书，不知道书本的魅力，更不会在文学、艺术中得到快乐。

由于没有人给他们任何的指导，他们怎样去度过本应该美好的童年呢？有的孩子成天无所事事，有的孩子以打

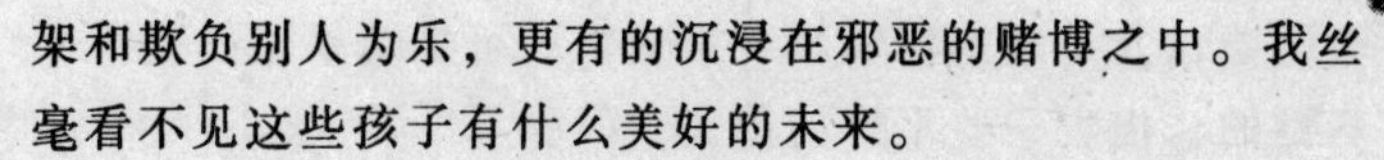

架和欺负别人为乐，更有的沉浸在邪恶的赌博之中。我丝毫看不见这些孩子有什么美好的未来。

这些孩子是不幸的，因为他们没有受到父母的良好教育，没有一个能给他们有意义童年的家庭。

有人会说，孩子的性格和才华都是天生的。他们经常说："我的那个孩子坏透了，简直不学好，怎么教他都没有用。"每当听到这样的说法我都感到悲哀。你自己都不相信孩子，弱小的孩子还会有什么好的发展呢？

我可以毫不客气地告诉这样的父母：你们不配做人的父母。孩子本身是好的，他们的一切过错都归结于你们。

由于上述的各种原因，在卡尔对同伴的选择上我表现得非常严格。我尽力将他和那些有相同爱好的孩子组合在一起，他们可以在一起就某个问题进行探讨，可以相互之间学到一些好的东西。

我经常看到卡尔和某个孩子一起朗诵诗歌，扮演某个戏剧里的角色，有时了会为某个问题进行争论。每当这个时候，我绝对不会去打挠他们，并为此而感到欣慰。

儿子和玩伴之间的矛盾

人们一再说，孩子必须有游戏的小朋友。否则，孩子就会感到生活没趣，以致情绪低落，性格孤僻。

即使我并不这样认为，但由于说的人多了，我也有些妥协。最后和妻子商量，相继选了两个小女孩做儿子玩耍的伴儿。

两个小女孩都是附近受过最好教育的孩子，会唱歌、

会跳舞，儿子和他们俩玩得很愉快。可是结果正如我所预料到的，出现一些不好的苗头。

自从让卡尔和小女孩一起游玩以后，并不任性的儿子变得任性起来，从不说谎的儿子也开始说谎了，并开始使用一些低俗的语言，他也变得自以为是和傲慢了。

这种变化令我担心。

我对儿子与两个小伙伴玩耍时的情形进行了观察，发现这是由于两个小女孩什么事都顺着他而造成的。

为此，我告诉小女孩们，不要什么都听卡尔的，如果卡尔自以为是，就跟我们说。但仍然无济于事。最后我们只得选择不让儿子再跟她们玩了。

为什么会这样呢？事后我仔细地分析了其中的原因。

首先，她们都是受过良好教育的孩子。有人会说，既然她们都受过好的教育，那么彼此之间就只有好的影响了吧。其实不然，人都有好胜之心，更不说孩子了。

两个女孩子都会唱歌，会跳舞，卡尔也会，这里面就有一个谁做得好的问题。每当两个女孩翩翩起舞之时，卡尔总会在旁边指手划脚，说她们这个动作不对，那个姿式不好看。这时女孩子们就会请他也来一个。卡尔会毫不客气地跳起来。由于他是男孩子，他的动作肯定有力而舒展，不像女孩那样婀娜多姿，这时女孩子们又会说他的舞姿太生硬、太难看了。

那么，矛盾就开始产生了。

结果是，儿子和女孩们展开了激烈的争论。如果是争论其它的问题还好一些，就舞蹈来说，他们各有不同的观点。儿子说舞蹈应该有力，而女孩子说跳舞就应该优美。

由于他们掌握的知识和词汇都有限，争到后来，就看

谁的嘴快、谁的声音大了。卡尔是个男孩子，由于他强硬的语气，往往在这种争论中不得不让女孩们认输。即使她们心中不服，却也找不到说服卡尔的理由。

卡尔的胜利完全是因为气势压倒了对方。这样就会给他造成一个印象，女孩子们没有他行。他的优越感由此而产生。可是实际上他没有明白，自己的获胜并非是在知识上比她们强。

这样，在错误的感觉中，他变得自以为是，认为自己什么都懂了。

第二，由于在争论中屡屡获胜，儿子开始渐渐地轻视同伴，认为她们的智力不如自己。

我发现儿子在很多情况下为了说服女孩们而开始撒谎。他对待争论已经超出了问题本身的范围。为了获胜，儿子开始变得不择手段，甚至编造一些故事来欺骗她们。

两个女孩和卡尔一样，都是年幼的孩子，她们的知识面都极为有限。单纯的孩子是极易被欺骗的。潜在的危害随之而来。

一方面，卡尔从一个不撒谎的人变得像一个骗子，他的欺骗不是为了金钱或其它的什么东西而只是为了在争论中获胜。这会使他产生什么都可以通过欺骗得到的想法，这种恶果将会危害到他的将来。

另一方面，两个女孩了成了受害者，她们从卡尔那里得到了错误的知识。这也会对她们的将来产生不良影响。

由于卡尔本来就有一定的知识，再加上他的气势以及撒谎的伎俩，这样在任何情况下他都能占上风。

如此，卡尔就让两个女孩佩服得五体投地。最后，她们干脆什么事都听卡尔的，什么事都顺着他。

到了最后，卡尔甚至认为可以随意指使她们，还常说她们太蠢、太笨，一些低俗的语言也就随口而出了。

没有小伙伴也不会失去童趣

没有其他童年小伙伴，是否就意味着孩子失去了童趣呢？

我认为这是不可能的。认为孩子不同别的孩子玩就没有乐趣，这是非常错误的想法。诚然，孩子们在一起玩耍时，他们更加随心所欲，想说的就说，想做的就做，随心所欲，他们当然喜欢这么干。习惯上人们就是把这些叫做孩子们的乐趣。

然而这样的乐趣不如没有的好，在某种程度上也是父母在推脱与孩子一起玩耍的责任。

做父母的如能理解孩子的心理，同孩子一起玩耍，那么孩子同样会感到高兴，并且这也是有益无害的。因为这种玩耍使孩子既不会任性，也不会自以为是；既不会品质变坏，也不会沾染上各种恶习。

让孩子们一起玩，即使对方是好孩子也有弊害。这一点我在前面已经讨论过。如果是坏孩子，弊害就更大了。

好孩子的好习惯如果能传给坏孩子，这当然是很好的事，但遗憾的是，这种事根本就不可能发生，多数情况是只有坏孩子的坏习惯非常快地传给好孩子。

为什么会这样呢？这是因为学习好习惯需要努力和自我控制，而坏习惯却无须任何努力即会沾染上。

从这个意义上说，有人认为学校正是孩子的恶习集中

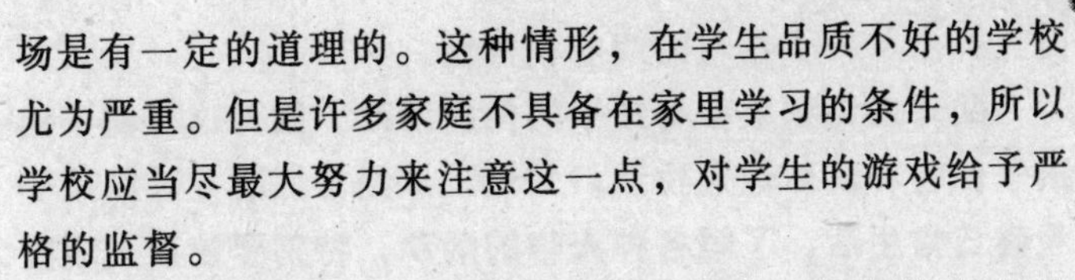

场是有一定的道理的。这种情形，在学生品质不好的学校尤为严重。但是许多家庭不具备在家里学习的条件，所以学校应当尽最大努力来注意这一点，对学生的游戏给予严格的监督。

很多父母认为孩子必须和小朋友在一起才能高兴地玩，其实并非这样。父母能陪孩子玩，可能更是孩子喜欢的事。但是有很多父母都忽略了这一点，借口自己太忙或其它什么理由轻而易举地推脱掉与孩子一起玩耍的责任。

我时常这样想：**父母的身体是孩子锻炼身体最好的工具，父母的肌肉可以给孩子补充力量。**不是有很多小孩子喜欢在父母的身上爬来爬去吗！这可能是孩子最早的体育锻炼。

父母的面容和声音让孩子着迷，父母所做的工作和使用的东西让孩子惊奇，父母对孩子的关心和帮助就是孩子最好的娱乐。

卡尔小时候就很爱围着他的母亲转来转去，他对母亲使用的那些东西好奇无比。因为孩子对任何物品都会产生新鲜的感觉。

在儿子几个月的时候，他经常去摆弄那些杯子、盘子、木勺、小锅、锅盖等等。他关心的不是这些物品的功用，因为他不会使用，而是关心物品的色彩、形状，重量和手感等。他还喜欢那些纸张、书本，这些都是他最好的“玩具”。

孩子希望父母跟他一起玩游戏，这是孩子非常渴望的事情。为人父母，应该有这份“闲情逸致”。有的父母不明白这一点，要么拒绝孩子的请求，要么随意中断正在进行的游戏。这样不仅影响了父母与孩子应有的情感交融，而且打击了孩子参与游戏的积极性。

父母应该积极参与孩子的角色游戏，因为这有利于让孩子体验和认知他人生活。父母应该经常提醒并鼓励孩子观察日常生活，了解各种人物的活动，特别要让孩子观察父母本身的生活。

父母要有意识地让孩子也当当“爸爸”、“妈妈”，体验一下父母的滋味。这种滋味尽管是肤浅的，但千万不要忽视它，因为它是有益的。孩子会从中体验父母的辛劳，不断地加深对父母的理解。

在教育儿子的过程中，我深深地感到在这种游戏之中，父母不仅是一个角色，而是主谋，要担当指挥行动的重任。

如果孩子违反游戏规则时，父母要注意提醒他，但千万不要让游戏半途而废。如果这样，会极大地打击孩子对家庭角色游戏的兴趣和积极性，影响是比较严重的。

可以这样说，卡尔之所以能够健康成长，并有了今天这些成就，在很大的程度上都归功于这种父母与他一起玩的过程。这不是我在过份的赞扬自己，可事实就是如此。

对于不同年龄的孩子，“玩”对他的意义是不同的。“玩”的方法也是变化和发展的。“玩”不仅仅在于“有趣”，而且还在于通过“玩”，孩子可以学习更多的东西，发现许多他认为奥妙的东西。我们知道，玩可以充分运动孩子身体的各个部位，可以帮助他的各个感官的发展，可以开发与培养孩子的智力和创造力。

我看着儿子长大，他的一举一动都在我的观察之中。我发现，对于他来说，并非只有游戏才是玩，吃、喝、拉、撒、动，甚至睡觉都是一种玩。

在儿子有兴趣的时候，我总会让他玩个够，玩得开心。

玩是孩子的天性，这一点很多做父母的都知道。但是怎么玩，玩什么，很多人未必有清楚的认识。很多孩子"玩"得很盲目，为玩而玩。由于这种现象，孩子本来可以从玩之中开发智慧和能力，但却被白白地浪费。应该明白，孩子不能为玩而玩，而是要玩出名堂来。

孩子的潜力是无限的，但是孩子的潜力是父母诱发出来的。

孩子在玩的时候，充满了积极性、主动性。他们的大脑在飞速地运动，思想在不断闪出火花，这对培养孩子的各种能力，特别是想像力和创造力，是其他手段难与之匹敌的。我们知道，"玩"有生活的影子，但绝不是对生活的照搬，孩子会根据自己的认识和理解去改造生活。父母不应用条条框框去加以限制，这样孩子的创造力才能够容易得到充分发挥。

玩本身是一种运动，通过玩，可以增强孩子的体质，可以协调孩子的动作，可以振奋孩子的精神，可以愉快孩子的情绪。但是，在玩的过程中，父母应该给予孩子良好的指导，否则就会发生前面所论述过的种种不良问题。

父母和孩子玩的时候，一定要仔细去观察他，尽量去了解他的内心世界。即使孩子很小的时候也应该这样。

人们以为几个月的孩子因为大小而什么都不懂，这是大错特错的。

在卡尔五六个月时，我就发现他也是有情绪的。情绪好时，他浑身是劲，那些翻来滚去的游戏玩起来也很过瘾。他似乎从中感到了自己的力量，并且慢慢地学会控制自己力量的能力。情绪不好时，他会感到浑身没劲，如果此时父母再叫他玩这种游戏，他会觉得不舒服，认为自己无能。

孩子的适应能力、反应速度比父母所想像的要慢得多，特别是在做游戏的时候。父母陪孩子玩的时候，要根据孩子的反应速度来进行，否则，孩子会心有余而力不足。父母必须顺应他的反应，要有耐心，否则就成了父母的独角戏。我在卡尔很小的时候就发现了这一点。比如我和六个月的儿子说话，如果我不断地讲，或只停一下又继续自己的长篇大论，他是完全弄不懂的。又如我递给他一个好玩的东西，他要一个较长的过程才会伸出手来接。这时，我必须耐心等，直到孩子伸手来接，不能把东西直接放在他的手里。如果我亲吻了他一下便马上转身离开，那么他就不会感到有趣，他可能很想给我一个微笑，但我没有给他足够的时间。要跟孩子玩，就应该给他足够的时间。

我认为，最好是孩子的大部分时间都在靠近父母的空间中度过，这样，孩子可以时时得到父母的关爱，不断交流感情。否则，孩子会感到孤独、厌烦，感到不安全。父母应该尽量避免这种情况的发生。为了避免这种情况，可以把孩子带到父母做事的地方去，叫他临时在那里玩。对于儿子，我和他的母亲都时时鼓励他参与我们所做的事，而我们发现儿子也乐意这样。

比如我在用水时，儿子很想玩，我就让他积极参与。有时卡尔还会帮助母亲扫地、洗碗。这些简单的家务事在他那里都变成了游戏。

每个孩子都是一个独特的个体，他们的适应能力都有

所不同。对于孩子的适合程度应该是又能引起他的注意和兴趣而又不至于吓着他。有的孩子荡秋千时开怀大笑，有的则吓得大喊大叫；有的对催眠反应灵敏，有的则毫无反应。因此，父母要善于了解自己的孩子，看他的反应适合哪种游戏。

发现孩子的个性是父母的素质。

在我对卡尔的教育过程中，我尽力做得能够让他事事愉快。因为我能理解孩子的心情，同儿子一起玩耍，我和他都从中得到了无穷的乐趣。可以这样说，虽然卡尔的童年几乎是和我——他的父亲，一个成年人度过的，但他一直保持着孩子天真的童趣。

与坏孩子玩的害处

作为成年人，我们都知道交朋友是件很慎重的事。我们不但应该用爱心去对待别人，还希望我们的周围都是同样爱心对待我们的人，而不愿意去和魔鬼打交道。

成熟的成人有时都会在不良的影响下走上岐途，何况孩子呢？所以我一直主张孩子不要去接触那些有坏习惯的人。

有的人会说，你这样不是太自私了吗？你应该去帮助那些有坏习惯的人。我也想这样做，但我知道那几乎是不可能的。其实每个人只要认真地对待自己，坏习惯自然会消失。

我的好友和同行沃尔夫牧师与我持不同的观点，他认为好孩子的好习惯能够传给坏孩子。我承认这是一个美好

的愿望，但这几乎是不可能做到的。

就这一问题，我曾经和他讨论过很多次，但他始终坚持自己的观点。我觉得既然不能用理论去说服他，那就只能看事实了。

威廉是沃尔夫牧师的儿子，他接受的几乎是和我儿子卡尔相同的教育。我不得不承认，沃尔夫也是一位非常出色的教育家，因为他的儿子在很多方面都不会比卡尔差，无论是知识面、语言、还是品德，威廉都表现得相当出色。

沃尔夫牧师与我不同的是，他鼓励儿子去和那些坏孩子交往，他告诉自己的儿子应该去帮助那些有不好习惯的小朋友。

帮助别人，是一种美德。但在我看来，沃尔夫牧师的做法未免太迂腐了，我认为他对自己孩子极为不负责任。

由于对玩伴的不加选择，沃尔夫牧师的儿子威廉渐渐地发生了变化。我曾经无数次告诫过沃尔夫，但他仍旧置之不理，他坚持自己的观点，他相信最终一定是自己的儿子会改变那些坏孩子。

对于他的固执，我有什么办法呢？

不该发生的事终于发生了。

沃尔夫牧师有好几次发现儿子威廉很晚才回家，已经超出了他规定的游戏时间。于是他问威廉为什么会这样。儿子告诉他，因有几个小朋友在一起发生了矛盾，他试图去劝解他们，他还给他们讲一些《圣经》上关于友善的故事。

“原来是这样。”沃尔夫牧师相信了儿子的话，并为他的这一举动感到高兴。因为这是他所希望的，儿子能够帮助别人，真应该为他高兴。

然而，他不知道，他被自己儿子的谎言欺骗了。这也不能怪他，因为儿子威廉在此之前从来都不说谎。善良的沃尔夫牧师做梦也没有想到儿子会渐渐染上了那些坏孩子的恶习。

后来，当沃尔夫知道真相，几乎气得昏过去。威廉所谓的帮助别人，实际是他们聚在村外的树林中赌博或讲那些低级下流的故事。沃尔夫应该知道，赌博在农夫之中非常盛行，这是那些没有受过教育的人的惟一乐趣。而那些下流的故事在他们之中极为流行。可是，他完全没有引起重视。

威廉的那帮小伙伴几乎都是这些人家的孩子，他们从小就没有得到很好的管教，没有良好的教育，他们只是去摹仿家人的做法，坏习惯和低俗的语言对于他们来说是家常便饭。威廉天天和他们在一起会有什么影响，那是显而易见的事。

有一天，威廉气喘嘘嘘地从外面跑回家，什么话也没有说就跑进自己的房间。沃尔夫看出他显得惊恐万分，赶忙去问他发生了什么事。

威廉一言不发，无论他怎样问他始终不肯说一句话。沃尔夫感到非常奇怪，他还认为是有人欺负了自己的儿子呢。

“沃尔夫牧师……沃尔夫牧师……，”门外有人叫他。

当沃尔夫牧师走到门外时，看到了一个满脸怒气的农妇。

“太不像话了，沃尔夫牧师，您应该好好管教您的儿子。”

沃尔夫很惊讶，他一直以为自己的儿子是个好孩子。有什么事会让这位农妇那么生气呢？

“请问出了什么事吗？”他大惑不解地问。

“您的儿子带着其他的孩子来偷我们家的鸡。这不是第一次了。以前我们家的鸡无缘无故地失踪，我还以为是魔鬼干的，但今天我发现是你的儿子威廉干的。您是牧师，不能教孩子干这种坏事……”

原来，有很多次，那些孩子指使威廉去偷农妇家鸡，并一起在野外烤来吃。

我不知道沃尔夫知道了事情的真相后会怎么想，但他一定会非常难过的。

后来，沃尔夫牧师终于承认了我的观点，再也不让儿子和那些坏孩子玩了。

很多人都有这样的观点：孩子如果没有游玩的小朋友就会变得自负或者任性。这种观点极端错误。

在我看来，真实情况恰恰相反：**只要不加选择地让孩子们在一起玩，他们就互相逞能，有可能变成利己主义者，结果沾染上狡猾、虚伪、说谎、任性、嫉妒、憎恨、傲慢、说坏话、争吵、打架、诽谤、挑拨等坏品质。**

让儿子和其他孩子进行有限制的接触

我这种让儿子与其他孩子少接触的方式，最大的好处是使孩子能心态平和地处理一些事情。

由于儿子在家里没有争吵的机会，所以就不像有的孩子那样容易激动。

不管怎样坏的孩子，都不能使我儿子发怒。他被大多数孩子所喜欢，从不吵架。现在儿子已长到14岁了，从未跟别人吵过一次架。

儿子在大学学习的过程中，因为学问上的问题经常和同学们交换意见，但决不伤害他们的感情。由于儿子与学友们相比年龄小得多，他的表现容易引起其他同学的妒嫉，但由于他坚持真理，以理服人，就自然得到了很多朋友。他们中有的人和儿子非常亲密。我知道这些情况后常常流下眼泪，从心里感谢这些可爱的青年。

在小卡尔的成长过程中，我并不是绝对禁止让他和孩子们一起玩，而是提倡在父母的监督下让他们相互进行有限的接触。由于是有限制的接触，他们就会互相客气，就不致串通一气去干坏事。当然前面提到的那些弊害也就避免了。

我对儿子这样的限制，结果证明效果非常好。由于他没有沾染上各种恶习，就不会同别的孩子争吵和打架。即便有的孩子恶意挑衅，也可以巧妙地避开。因此，凡是和儿子接触的孩子，很快就喜欢上他了。

我曾经带着儿子去过好多地方，回来时，那里的孩子们常常在依依惜别时流泪。

我可以根据自己的经验断言，认为如果孩子没有玩友就没有乐趣，并将造成精神颓废，变得孤僻等等说法是错误的。

我不赞成因为孩子喜欢同孩子们一起玩，所以就非这样做不可的说法。

我认为儿子在玩具中学不到什么知识

大多数父母之所以给孩子买玩具，一方面是在因为孩子禁不住玩具的诱惑，而在购玩具的场所要求父母买，父母由于碍于面子或照顾孩子的自尊心只得给他购买，另一方面则是父母为了让孩子打发时间。

我认为那些父母的行为极端错误，应该受到指责和批评。有些父母把玩具交给孩子就再也不会理会他们，那更是错上加错，这是一种对孩子不负责任的行为。

我几乎没有给卡尔买什么玩具，因为我认为儿子在玩具中学不到什么知识。

我把别的孩子玩玩具的时间都用来教卡尔读书或观察事物，而且卡尔本人也乐意于这样。卡尔很小的时候就懂得在书本和自然之中找到乐趣，所以他根本没有必要利用玩具去消磨时间。

孩子没有事情可做的时候，就会感到无聊。如果父母只让孩子玩玩具就放弃不管，他们往往会无精打采、厌烦、精神不爽，以致破坏玩具和哭闹等等。

这时，心情不好的孩子，一般就会拿玩具或周围的东西出气，由此所造在的后果将是多么可悲，这是谁都清楚的。

让玩具陪伴孩子度过童年是很可悲的。很多人不懂得在孩子幼儿时期利用那短暂的宝贵的时间去开发孩子的智力，而一味地让孩子处在无所事事之中，让那些玩偶虚耗他们的美好时光，对于孩子来说这是一种无形的摧残，是一种犯罪。

和玩具在一起度过童年，不仅仅是浪费时间，还会让孩子从小养成一些将来很难改掉的恶习。既然孩子可以破坏玩具，那么他们也可以破坏其他的东西，一个从小就破坏性很强的孩子长大之后很有可能成为社会上的不良分子。

孩子可以在玩具身上出气，那么他也可以对周围的人任意撒气。这样的结果会直接导致孩子傲慢的坏性格，他们成年后也不会有与别人良好沟通的能力。他们可能会变得一切以自己为中心，无理，甚至毫无理性。

有一个女孩，出生在一个非常富足的家庭。她长得非常漂亮，也非常聪明伶俐，是我们这一带很有“名气”的小姑娘。由于她天生可爱，又是一户有钱人家的女儿，所以很多人都非常喜欢她。

她的父母更是把她当作掌上明珠。

去她家拜访的人，总会给她带去最好的玩具。据说，那些做工精美且很昂贵的洋娃娃就有成百个。

小女孩可以说是每天生活在玩具的世界之中。

我曾经告诉过她的父亲，不要让女儿太多地把时间花费在玩具上，应该尽早地对她实施教育。可她父亲不以为然，他说让孩子学习现在可能太早了，等她长大些后再说吧，不仅如此，他还嘲笑我说：“威特牧师，听说你正在培养天才儿童，什么时候带来让我瞧瞧吧……你可别把你的宝贝儿子变成个书呆子了啊。”

对于这样的父亲，我还有什么话说呢？

后来，我听人们说起那个小女孩。由于她的玩具太多，就一点也不爱惜它们。她时常把那些可爱的洋娃娃扔在路边的小沟里，有时还用小刀之类的东西把洋娃娃割得乱七八糟。每当她发脾气的时候就把玩具摔在地上用脚使劲地踩踏。

当家里的人教训她时，她甚至威胁父母："我会用刀杀死你。"

有一次，因为佣人做的饭菜不合她的口味，便记恨在心。吃饭时她什么也没有说，只是在饭后将一把小刀悄悄地藏了起来。

第二天，当那位善良的女佣正在厨房做饭时，小女孩乘她不防备将那把小刀插进了她正在洗菜的手中。

女佣大叫起来，鲜血从她的手背上流了下来。小女孩并没有因此而有所顾忌，还大声嚷嚷："你做的菜太难吃了，是不是你的手太笨了。"

当我听说了这件事后，感到非常的痛心。那是一个多么可爱的小女孩啊！怎么会变得这么无理和残忍。这种事情的发生，只能怪她不负责任的父母。他们不知道孩子的这种性格会对她的将来有多大的坏影响。我不知道她的父母对这件事的发生有什么想法，但真希望他们能好好反思，从而去学会合理地教育孩子。

在玩玩具上产生的种种不良结果，如像小女孩儿那样的行为会成为一种习惯，而这些坏习惯将影响孩子的一生。

我几乎不给卡尔买玩具，但并不是让他失去一般孩子都能享有的童趣。就像在前面说过的那样，我采取了很多有益的办法，让儿子既玩得兴致勃勃又开发了他的想像力，同时又从中得到了很多书本上没有的知识。

为了让卡尔在玩耍中增长知识，我在房屋外的院子里，特地为他修了一个大游戏场。在上面铺上了60公分厚的砂子，周围还栽有各种花草和树木。由于砂子铺得很厚，下过雨马上就干，坐在上面也不会不脏衣服。

卡尔时常坐在那里修城堡、挖山洞，尽情地发挥他的想像力，也经常在那里观花捉虫，培养对大自然的感情。

我认为让孩子接受自然就是最重要的教育。孩子从中得到的乐趣比那些花钱买来的玩具要多得多。

我曾经也为儿子买过一套玩具，并不是一般的那些花哨东西，而是一套炊事玩具。尽管卡尔还是个很小的孩子，但凡是大人要做的事他也什么都想做。尤其对厨房的活，总是想插手。有些父母觉得孩子的这种癖好太琐碎，有些父母甚至对此十分厌烦，这实际上是在埋没孩子们的天性。我可不这样认为，因为对于儿子的这种喜好，如果能引导得好，就能使他的知识极大地增长，并且能够培养他热爱劳动的习惯和亲自动手的能力。

在游戏中体验人生

对我来说，一生之中最大的幸运莫过于我有一个好妻子。她是一个善良而聪慧的女人，在卡尔的教育中，她也倾注了大量的心血，也是一个非常能干而有责任心的母亲，卡尔有这样的母亲，这是他人生中的最大幸福。

我给儿子买了炊事玩具后，卡尔的母亲与其他母亲不同，她不是把炊事玩具交给孩子就撒手不管了，而是借此进一步开发他相关方面的潜能。

卡尔的母亲已经习惯了一边做饭，一边耐心地解答卡尔提出的各种问题。并且还监督卡尔，让他用炊事玩具学做各种菜。她母亲还通过各种烹饪游戏来使儿子从中享受到生活和增长知识的乐趣。

有时，卡尔会扮演主妇的角色，而让母亲当厨师。因为卡尔是主妇，妈妈是厨师，所以做厨师的妈妈就得向卡尔请示各种事情。如果卡尔下达的命令不得要领，那就失去了当主妇的资格而降为厨师。

这时，当上主妇的妈妈就发出各种命令。例如，母亲命令他做某某菜，去菜园里取某种佐料等。

如果卡尔拿错了佐料，那么接下来他就连厨师也当不成了，只好被“解雇”了。

我时常听到卡尔的母亲给我讲她和儿子之间发生的趣事。

有一次她对我说：“有时让卡尔当妈妈，我当孩子，真有意思。这时卡尔就给我下了各种命令，而我故意不好好做或者干脆不做。如果卡尔没有看出来，那他就失去了做母亲的资格。但是，卡尔一般都能看出来，而且还一本正经地给我提意见。那时，我就说：‘请原谅，今后一定注意。’有时我故意不认帐，这时卡尔就用我斥责他时所用的语言来训斥我。”

“还有的时候，让卡尔当先生，我当学生。当我故意把卡尔讲得很成功的地方说成失败时，他一发觉了就会批评我。”

我认为，这些游戏使儿子在今后生活中减少失败起了一定的作用。

类似这种演剧式的游戏是很多的，导演当然是他母亲。而且有时母子还将之深化。比如，他们常常演出某个故事或者书本上的某个历史事件的某些情节。

有时还在周游过的地方，进行“旅行游戏”等等。通过这些游戏，我们又教给了小卡尔有关地理和历史等方面的正确知识。

不仅是卡尔的母亲，我有时也会和儿子玩类似的游戏。当然我不是去扮演主妇或厨师，而是扮演将军或士兵。无论是当将军或是士兵，儿子总处在一定的位置。有时，他可能是一个威武的将军，来指挥命令我这个士兵；一会儿，他又会变成个冲锋陷阵的士兵被我指挥。

卡尔根据自己的体验和理解，常常把自己的角色扮演得灵气活现。他的扮演充满了想像力和自主性，并且还会按照自己的体验去装扮成不同年龄、性别、身份或职业的人。

我认为这种游戏对孩子有很多好处：可以满足孩子的好奇心和求知欲；可以训练孩子主动性、独立性和创造性；能够提高孩子的观察力、记忆力、判断力、想像力和创造力，并且能够丰富孩子的内心世界，还有利于提高孩子的语言能力，训练孩子的组织能力。

书本中的故事或童话对孩子有很大的吸引力，可以说是孩子的智慧源泉。我时常引导儿子把这些故事表演出来，有时我和他的母亲也一起加入进去。那是非常有趣的事，连我都觉得玩起来很开心。

这种游戏可以帮助孩子加深对故事的理解，而且还可以开发孩子的创造力。在游戏中，儿子充当各种不同的角色，用不同声调或动作去演绎一些优秀的作品。这会对他各方面都会产生有益的影响，特别能够对他的心灵产生美的启迪。

我在同儿子进行这种游戏时，我总是选择一些适合孩子表演的故事。这类故事的内容健康，情节生动，语言优美，角色可爱，表演也比较容易。为了方便儿子理解和记忆，情节的主线都比较简明。一般来说，选择的故事对话很多，以培养他的语言能力。在表演之前，我会把故事给儿子讲清楚、讲明白，不仅让他明白自己扮演角色的语言和动作，还让他明白整个故事和其他角色。比这重要的情节我都更加仔细讲述，让他加深对故事的理解。

为了调动儿子的表演积极性，我尽量让孩子参加准备工作并为他创造一种环境和气氛。我时常告诉儿子，不要太拘泥故事本身，可以大胆想像，自由处理。无法表演的东西，如爬山、过河等，我就教他用象征性的语言和动作来加以表现。

在表演过程中，我一般会进行适当的指导，让儿子知道自己干些什么，充当什么角色，并对自己担任的角色产生兴趣。有时候，我会为他做些示范来提示他的表演，但从不要求他一定要照着我的方法去做，因为这样会减少给他想像和创造的机会。

为了让孩子玩得有趣味，我还做了许多形状各异的木块，他或者用这些木块盖房子、或者建教堂、修塔、架桥、或者筑城。由于建筑游戏需要做游戏者仔细动脑筋，因此非常有利于孩子的智力开发。这一点，我在前面提到过。

不仅如此，这种用木块来玩的建筑游戏也能够培养孩子的毅力。

有一次，卡尔花了很大的功夫用木块搭起了一座城堡，有房屋、有城门、城墙，还有做得精致的小桥。

当他正准备来叫我去看时，由于太激动，不小心他衣服的一角在城堡的主要建筑——一个高高的钟楼上扫了一下。顿时，钟楼瘫塌了下来，并且把其它的建筑也砸坏了，还毁坏了他精心搭建的那座最令他满意的桥。倾刻之间，他的杰作变成了一片废墟。

我看到他时，他正愁眉苦脸地坐在那儿发呆。我看到当时的情景，看到那些东倒西歪的木块时，心中已经隐隐知道发生了什么事。

“爸爸，它被毁掉了，是我不小心毁掉了。多可惜呀！它本来很美……。”卡尔说着都快要哭了出来。

我问清情况后对他说：“儿子，既然是你自己不小心，就没有理由抱怨，也不应该难过。你自己能做好第一次，也一定能做好第二次。为什么傻坐在那儿呢？干嘛不重新做一个，也许还会更好呢。”

卡尔顿时欢欣鼓舞起来。

其实我知道，这话说起来容易，做起来难。因为卡尔搭建的是一组很复杂的建筑群。要他做第二次，非要有很强的耐心和毅力不可。但我相信儿子能够做到。

不出我所料，卡尔终于完成了，并邀请我去欣赏他的作品。我看了非常吃惊，简直没有想到他会做得那么精确完美。

“爸爸，我认为这一次比前面那个做得要好一些，因为我在做第二次的时候又对它做了不少的修改。并且做得快了许多。”卡尔自豪地对我说。

这种结果是肯定的，只要孩子能够有信心开始第二次，那么就会有更好的成果，因为他已经在第一次中积累了丰富的经验。

除此之外，我还教儿子做模仿人生各种活动的游戏，但这只是在他很小的时候。我在那个时期努力通过游戏让儿子各方面得到了发展。

我认为，与孩子做游戏切不可胡来，应当让他尽量地动脑筋。这样孩子就很少会感到无聊，就不会借此哭闹滋事。

虽然卡尔玩具很少，但是不管冬天有多长，他都不会无聊。他能利用这些非常有限的一点玩具，愉快而幸福地玩耍着。

我和儿子的各种游戏

我认为，只要善于利用游戏，那么游戏就不仅仅是一种娱乐，也会成为一种孩子学习知识的好方法。

当孩子哭时，为了不让他哭，多数父母的作法是给玩具玩或给糖果等。这些父母曾多次干这种事，而且不厌其烦。我对这些父母的做法深感气愤，这些做法实际上是错误的。因为孩子的乐趣，决不是很多人所认为的那样，只是吃喝。孩子除了味觉的乐趣之外，还有视觉和听觉的乐趣。在卡尔小时候，为了不让他哭，他的母亲给他颜色好看的东西或是敲钟给他听。孩子吃喝过多，就会变得迟钝，并易生病。

为了使孩子各方面的能力都得到发展，我开设了与之相配套的游戏。我给他专门开设了一个卡尔运动场。那里的各种器具，有的可以用棒子敲打，有的可以悬重，以促进他练就发达的肌肉。我认为，孩子做游戏一定要有明确的目的，必须使他在精神上、身体上、道德上等各方面的能力都成长起来，不可白白浪费他们的精力。

做发展孩子在爱好方面的能力游戏，也十分必要，也容易开展，因为这是孩子的本能。我和儿子就常常做蒙眼睛的游戏。事实上，几乎所有孩子都喜好这一游戏。具体的玩法是把孩子的眼睛蒙上，给他各种物品让他猜是什么东西。另一种玩法是蒙上眼睛，在屋子里摸索，碰到一件东西就让他猜是什么，这类游戏能有效地发展孩子的触觉。

为了发展儿子的视觉，我们也作一些数数的游戏。把几颗棋子、豆等放在桌上，让卡尔看一下就说出数字。我利用一切机会和儿子作这类游戏。在饭后，见到盘子中的水果，马上问：这是几个？或在走路时，见到路旁的东西，就问：那是几个？或者在另一间屋的桌子上放上各种物品，让儿子看一眼就说出是些什么东西。这种游戏可以使孩子视觉灵敏，并发展记忆力。

在卡尔很小时，我还经常带他到各处走走。为了训练他的判断力，以后再去那里时，我就让他在前面领路。经过这种训练，儿子从18个月时起，就能带他的母亲和女佣到各处去。

训练视觉的游戏很多。我经常问儿子室内的某一件东西，告诉他这个物品是红色的，让他猜猜是什么。儿子就猜是字典、花、桌布等等，猜上三次或五次，必须在规定的次数内猜对。若猜不着，就轮到他说而我猜了。

我们还作乘法口诀的游戏。把5×7或8×9写在口诀卡片上。把这些卡片字朝下摞起来，一张一张地往外抽，抽出一张翻过来看，尽快地说出结果。如果不能马上说出或说的不对，我便说出来，并把说对的卡片拿走。

为了让儿子学会控制自己的身体，我还和他作“模仿铜象”的游戏。我让他摆出某种姿势，然后开始数数，在规定的数字内不许动，这样做的目的是让他学会控制自己的肌肉。据说希腊人喜欢作这种游戏，他们的动作之所以那么优美，恐怕原因就在这里吧。

我还教儿子搞园艺。这样不仅使他高兴，而且可以促进智力发展和身体健康。在卡尔刚会走路的时候，我就给他买来小铁锹和小铲子等工具，在院子的一角开辟一个小园地，教他播种、栽花草、除杂草、浇水的方法。这些简单的劳动，在儿子眼中也是一种极为有趣的游戏。通过搞园艺，使他产生新的兴趣并养成劳动的习惯和忍耐精神。

前面提到的卡片游戏是从纸牌游戏中发展来的，这类游戏既能提高孩子的记忆力，又能使他动作敏捷。我把儿子所有的功课：历史、语言、数学、地理等都编成卡片，和儿子一起作游戏。让他在这种巧妙的游戏中轻松愉快地学习各种知识。

第 9 章

我时刻注意夸奖儿子的妙处

我发现让儿子适应偶尔得到奖励的方式，他会继续表现他的良好行为。因为已经形成习惯，儿子知道怎样做会使我高兴，他也为此而高兴。对于自己的良好行为感到满足和高兴。

信心的源泉

“你是非常聪明、非常好的孩子。”这是我在对卡尔的教育之中用得最多的一句话。每当儿子遇到困难和挫折时，我总是用这么一句世上最美的语言帮助他摆脱内心的苦恼。

每当儿子痛苦和失落之时，我会对他说“你一定行的，我相信你。”儿子毕竟是孩子，他太弱小，在他的人生之中会遇到很多难题，我应该尽可能地帮助和支持他。每个人都会有失落的时候，每个人都会有失去信心的时候，何况是儿子。只有让儿子充满信心，他才能在未来的人生之中面对一切挑战，才会拥有幸福的人生。

信心从何而来，来源于父母有效的夸奖。孩子需要夸奖，需要鼓励。“夸”不仅仅表明了父母的信心，同时也坚定了孩子的信心。只有孩子对自己充满了信心，父母才能培养出优秀的人材。如果从一开始我就对卡尔缺乏足够的信心，儿子现在会变成什么样子，这是我简直不敢想像的。

卡尔刚开始学习写作的时候，对自己的能力一点儿也没有信心。当他战战兢兢地把他的第一篇文章递给我时，我就注意到他眼中的不安，似乎他在等待着我的审判。读完他写的文章后，我发现那的确是篇糟透了的文章：问题没有交待清楚，句子不完整，还有很多错别字。我应该怎样去评价它呢？由于我感到儿子对写作缺乏自信，我知道我不能简单地说一声“不好”就能解决问题。在我沉默之时，儿子流露出忧伤的眼神。可他没有想到，我对他说了一句令人兴奋的话：“非常不错，这是你第一次写作，爸爸刚开始写作的时候比你差远了。”这时，儿子的眼光中闪烁出兴奋的光芒。

不久，儿子把他的第二篇文章给我时，已经是天壤之别了。

“自信”是信心的基础。没有自信，谈不上信心。通过有效的夸奖可以很容易培养起孩子的自信。

自信其实很简单，就是自己相信自己。无论大人还是孩子，无论干什么事情，对自己缺乏自信，必然一事无成。反过来，一个人如果对自己充满自信，对工作信心十足，那么他无论干什么事情，也会百折不挠。

在我对儿子的教育中深深地感到：最重要的教育方法就是要鼓励孩子去相信自己。

我认识很多这样的父母，他们对自己妄自尊大，而对孩子缺乏应有的尊重。婴儿、幼儿，虽然他们并不明白什么叫自尊，但他们却拥有自尊心。他们能够十分敏锐地感触到父母对他们的情绪。对于抚爱和夸奖，他们以微笑和撒娇加以回报；对于嘲弄和漠视，他们以发怒和任性来加以回应。

对孩子不公平，或者体罚，孩子都会以自己所特有的手段来回应，他们或者哭闹，或者任性，或者干一些“坏”事来加以回报。

我时时反省自己，是不是对卡尔有足够的尊重。我在卡尔的成长过程中发现，认真调整自己对孩子的态度和做法，孩子的任性很容易被克服。

以上面的事情为例。如果我看到卡尔的文章不尽人意，立刻就把他否定了，甚至骂他“笨”“蠢”，这样就伤了儿子的自尊心，也毁掉了他的自信心。恐怕他以后再也不会用笔写文章了，也就扼杀了他的一种才能。

评价事情总有个优良中差之分。卡尔得了“优”，我自然要夸他一番，更增加了他的信心。得“良”“中”，夸奖是必要的，可以找找差距，但重要的依旧是夸。即使很差，也要善于夸奖，不要给孩子世界末日之感，多帮孩子找一些原因，关键是要找出孩子闪光之处给予夸奖。在这种时候，千万不能让孩子失去信心。

美好的东西总是让人回味无穷，丑陋的东西总是令人胆颤心惊。“夸”可以使被夸者产生美好的心境，从而留下美好的回忆，从此激励自己不断前进。

每当卡尔做了一件好事，我总会夸奖他一番。这时他总会眉飞色舞，信心百倍。我认为，只要孩子有一点可取的地方，就应该毫不吝惜地给予夸奖。即使他有什么地方做得不对，也不能去挖苦讽刺。孩子做错了事，只要他能够诚恳地改正，父母就应既往不咎。

任何人都有成功，也有失败，失败往往比成功更多。孩子失败了，父母绝不能说“我就知道你不行”之类的话，而是要帮助他从失败中走出来，要多加鼓励。

孩子的天赋是方方面面的

孩子的天赋是方方面面的，父母要善于发现并为之提供良好环境。只要父母能够发现并及时加以夸奖，孩子都是大有可为的。孩子的潜能是否能最大限度地得到发挥，关键在于父母而不在孩子。只要父母及时发现并夸奖他的天赋，孩子定会扬帆前进。在对儿子卡尔的教育中，我深深地感到了这一点。

孩子一生下来就在学习，逐渐形成了自己的长处和短处，扬长避短，优先发展，是每一个父母的神圣责任。

孩子对音乐有天生的趣味，听优美的乐曲可以使大脑得到有效地训练。如果孩子对音乐节奏十分敏感，对音乐十分入迷，那么这个孩子可能有音乐天赋，父母应该提供更多的“音乐奖励”，孩子一表现出这方面的兴趣，父母就应该用各种方式进行“奖励”。

孩子的绘画才能是从分辨各种颜色开始的，如果孩子对颜色有很大的兴趣，并且经常在地上、墙上涂画各种东西，那么这个孩子可能有绘画的天赋，父母就应该为他购买画笔、颜色和纸，鼓励孩子画画的兴趣，还应该及时带他去观察大自然的风光，开阔孩子的视野。这些都算是对孩子的夸奖，对于开发孩子的天赋十分有益。

喜欢背诵、说话、讲故事的孩子是具有语言天赋的表现。说话特别早的孩子尤其应该引起父母的重视。孩子的语言天赋除了天生之外，很大程度上是后天训练而成的。经常与婴儿“说话”，尽管他可能不会说话，但至少可以激起他对语言的兴趣。

语言能力是人的一种最基本的能力，因此，父母对此要特别加以“夸奖”。孩子小时候说话多，长大了肯定会能言善辩。父母对孩子发音不准，用词不当，绝不能讥笑，应该在他无意中加以引导，给予相应的鼓励。

要明白，孩子说错了话是完全正常的，不说错话才是奇怪的事。只要孩子说话就应该鼓励。

卡尔在9岁时就能熟练地运用并翻译法语、意大利语、拉丁语、英语以及希腊语，在很大程度上归功于我对他年幼时的夸奖。

对儿子的教育，我把培养他的想像力放在第一位，往往把它看得比知识更重要。不少人教育孩子，总是使劲灌输各种知识，却忽视了他们的想像力。我不主张只把孩子学习知识作为目的，而是主张学习知识只是手段，让孩子通过学习知识去开发他们的各种能力，培养他们的各种能力和素质。

想像力没有一个具体目标，只有在具体活动之中才可以有效进行。孩子越小，这一点显得越重要。

每当儿子在扮演古代骑士，模仿小鸟的飞翔，我知道这是他的一种想像力的表现，在此时我往往夸奖他做得很好，其效果是不言而喻的，这样孩子年龄越大，想像力就越丰富，越独特。

孩子喜欢听故事，这似乎是一种天性。他们会不厌其烦地让父母及大人讲一个相同的故事，并且经常在父母讲述过程中查漏补缺，有时甚至添油加醋，这是一个绝好现象，父母应及时进行鼓励，夸孩子有想像力，即使补得不对，加得不合理，也千万不要打击他们的积极性。

儿子有时会虚拟一些并不存在的事情，尽管漏洞百出，前后矛盾，我也没有认为他是在说谎，我力图给他堵补漏洞，化解矛盾。我知道父母的责任应该是夸奖他们的想像力，并引导着他们继续想下去。

通过对儿子的夸奖和诱导，我发现他的想像力越来越精妙，越来越发达。

很多孩子的大胆想像常常不被父母所理解，这是因为父母心目中有许多条条框框，并且经常用这些条条框框去封杀孩子的创造力。

我认为，孩子的创造力之所以如此大胆丰富，就是由于他们的脑袋里没有什么条条框框，而且根本不想受条条框框的限制。

有一天，我的一位老朋友来我家作客。他看见卡尔正在用蓝颜色画一个大大的圆圆的东西。

他问卡尔："孩子，你画的是什么啊？"

卡尔回答道："是一只大苹果。"

朋友说："可为什么要用蓝色呢？"

卡尔回答："我认为应该用蓝色。"

朋友对我说："我的老朋友，你应该教教孩子。他用蓝颜色画苹果，你应该告诉他那是不对的。"

我感到很惊讶，说："这是为什么呢？我为什么一定要告诉他用红色呢？我认为他画得很好，也许孩子今后真的会栽培出蓝色的苹果呢。现在的苹果是什么颜色，他吃苹果的时候自然会明白的。”

孩子的创造力就是在这样的不断的夸赞中培养起来的。如果用要求大人的标准去要求孩子，那么一举手一投足都有许多不合“规矩”的东西，如果对孩子的不合乎“规矩”的行为时时加以“纠正”，那么孩子的创造力就不断消失了。

卡尔小时候，我时常发现他趴在地上，聚精会神地观察两只蚂蚁搬一颗饭粒，这是因为好奇。在这种时候，我绝对不会去打挠他。他有时还会把观察后的结果告诉我，说那只蚂蚁怎么啦，另一只蚂蚁又怎么啦。这时，我会夸奖他观察得仔细。

夸孩子的好奇心，对孩子创造力的培养十分有益。通过夸奖可以使孩子的好奇心更强。我时常把儿子引向大自然，让他去观察花鸟草虫，去遥望满天星星；闪电雷鸣、阴晴雪雨，他会感兴趣；日升月没，昼夜交替，他会不断提问。

对于孩子的好奇心，父母不能感到厌烦，而应该加以保护，并且善于将其引入恰当的轨道。这种夸奖，能把孩子带进知识的海洋，读书籍，做手工，搞实验，会给孩子带来无穷无尽的乐趣。

教儿子学会面对失败

通往天堂之路是漫长的，第一步都是刻骨铭心的，我认为五岁是其中的第一步。在儿子五岁的时候我就开始培养他各方面的能力了，但我认为更重要的是，从这时起就应该去培养他快乐的性格。

人生之中会有很多失败，教育儿子学会面对失败，不怕失败，是非常重要的事。很多时候，因为害怕失败而失败了，很多时候，因为不怕失败反而胜了。

害怕失败，孩子的心理压力很大，本来能够做的，轻而易举的事情也做不好，做不了；害怕失败，孩子心里会产生不做不错，多做多错的想法，丧失尝试的动力，以致于长期处于无能的心理状态。

我在这方面对儿子很宽容，即使他在某一件事上失败了，我也能够允许他再失败一次。任何人都知道，孩子吮乳、说话、走路，谁也说不清楚，到底失败了多少次，可是最终却胜利了，成功了。这不是对做父母的一个最好的启示吗?

害怕失败的心理不予消弥，久而久之，孩子就会形成一种对事物缄默冷淡或者不参与任何活动的习惯，这对他的健康成长极为有害。这种心理会导致孩子变得自闭、忧郁、阴沉，这样的人怎么会有快乐的性格和美好的人生呢?

无论儿子做什么，只要他不违反固有的原则，不做有损于自己和他人的事，我都尽力支持他去闯去干，在行动上鼓励他去尝试。我认为，只要让他有了不怕失败的勇气，再加上正确的引导，一切都会成功。

我不赞成父母把孩子本来自己可以做的事全包下来。久而久之，孩子便失去了独立思考的能力。无论何事，都要父母拿主意，这是完全错误的。

对于卡尔，我自己能做的事情总是叫他自己去做。我尽力杜绝他以“我不会”作为借口换取父母的帮助。每当儿子对某件事说不会的时候，我总对他说“我教你”，而不是自己一做了之。

由于儿子在各方面都得到了良好的发展，每当他遇到挫折的时候都会得到我和他母亲的帮助和鼓励，他也从鼓励和夸奖之中逐渐建立起了自信心，直到现在，他的性格一直是健康和快乐的。

夸奖的秘密

在对儿子的教育过程中，我发现良好的行为在得到不断夸奖时，这一行为就会不断重复而形成习惯。很多父母可能没有意识到这一点，他们认为孩子良好行为是自己与生俱来的，是理所当然的，因此无话可说，因此就不想夸奖。其实，孩子良好的行为得不到及时的夸奖，孩子的心里不会增加印象，良好的行为就慢慢停止了。

我发现不少的父母甚至在不知不觉之中采用了完全相反的做法，对孩子的不良行为给予夸奖，比如对撒娇的孩子给予不恰当的呵护。父母们就在这样的无意之中强化了孩子的不良行为。

在生活中，我经常发现这样的情况：孩子表现出了不良行为，比如打架、浪费、偷东西、撒谎……，这时父母着急了，训他，骂他，甚至打他。我认为这样做的结果非但解决不了问题，而且会产生更大的副作用。

孩子的不良行为引起父母的注意，他们往往在这些行为上的印像更深。因为孩子往往会选择引起父母注意的行为，而不愿选择父母毫不理会的行为。

有些父母错误地认为，关注孩子的坏行为，对孩子进行惩罚，可以制止不良行为的发展。其实，对孩子来说，这种惩罚都似乎是一种奖励，因为这一行为引起了父母的重视。这就是不少孩子爱恶作剧的原因所在。

父母关注什么行为，这种行为就会逐渐形成孩子的习惯。因此，我认为父母应该多加关注孩子好的一面，对良好行为给予及时、恰当的奖励，而对不良行为采取漠然处之的态度，让它没有加深印象的机会。

对于孩子好行为的夸奖越早越好，孩子年龄越小，实施起来效果越明显，也越容易。我曾经对其它的孩子做过一些研究，当孩子进入少年时代，这种夸奖就有一定难度了，因为少年时代的成长过程中，孩子有一个反抗父母的阶段。为了更好地实施这一方法，父母应该明确区分孩子的情感与行为。孩子的内心世界，如爱、高兴、生气等，是孩子独有的，父母往往对此鞭长莫及。孩子感到高兴或生气，他们自己也无法控制。孩子的行为是外在的，是看得见、摸得着的，孩子自己也能控制。孩子无法控制自己的很我钎为，但是可以控制自己打人，因此，父母难以控制孩子的情感，但是却可以对孩子的行为施加极大的影响。

我认为，对孩子的夸奖，应针对的是孩子的行为而不是他的情感。

我认为父母应该注意到孩子的行为是指具体的行为，而不是抽象的或分析出来的。那些说不清楚的行为，父母无法施加影响，也无法去加以控制。明白这一点至关重

要。

哪些行为是说不清楚的行为呢?

比如:“这孩子尽做些令人最头疼的事情。”“这孩子爱欺负人。”“这孩子不负责任。”等。

哪些行为是具体的行为呢?

比如:“他打了别人的小孩。”“他在墙上画了一只小动物。”等。

我们应该明白:夸奖的是孩子的行为而不是孩子的情感。应该夸奖具体的行为而不是“说不清楚的行为”。

作为父母,主要是对孩子好的行为给予及时夸奖。如果孩子没有做到,千万不要责备。孩子偶然做到就是一个不小的进步。只要孩子表现出良好的行为,父母就应该及时进行正面强化,巩固这种行为。

我对卡尔的夸奖,一般有两种方式,一种是情感方式,一种是物质方式。我深深地感到,情感方式往往比物质方式更有效。

情感方式有表扬、亲吻、拥抱等口头或身体的行为。这种方式取之于父母而无穷,千万不要吝啬。

物质方式是一种补充方式,如给孩子一块点心等等。卡尔每次在这种情况下得到了奖励总是欢欣鼓舞,并不在乎奖励的多少。

通过对卡尔的这种教育,我发现他在年龄很小的时候,大部分时候采用情感方式奖励就足够了,特殊情况时再采用物质奖励。

我认为,只要及时地对某一行为给予正确夸奖,这一行为就会在孩子身上不断重复出现,良好行为得到及时的强化和巩固,久而久之,孩子就会养成自然而持久的良好行为习惯。

但是，我在卡尔夸奖时并不是随意确定的。如果太随意，那么他就无法明确地知道我因为什么行为夸奖他。我总是在他表现出良好行为时给予夸奖，并且告诉他因为什么事而得到夸奖。

每当卡尔最初开始使用新的且令人满意的方式做事时，我都会及时给他奖励。我认为这样对于培养他良好行为十分重要。如果当他学会了新的行为，并且理智地去实施这一行为时，我不是每次都给予夸奖，而是采取拉长夸奖的时间间隔，实施间断性或随意性的夸奖。这种夸奖只能偶尔为主，要让他感到意外。

我发现让儿子适应偶尔得到奖励的方式，他会继续表现他的良好行为。因为已经形成习惯，儿子知道怎样做会使我高兴，他也为此而高兴。对于自己的良好行为感到满足和高兴。

在此，我建议那些已经作了父母的人，不要因为孩子的不良行为而专门去教训和打骂，而要去发现孩子的长处。对于那些个性很强，精神旺盛，从不受别人指使的孩子更加应该这样。父母发现了孩子的长处，尽量对他的良好行为进行夸奖，当他听到父母的夸奖时，一定会变得听话起来。

第 10 章

在培养儿子的善行上下功夫

我认为，理想的人是品德、健康、才能都得到良好发展的人。只重视他的身体，孩子将成为四肢发达的可悲的愚人；只重视智力，孩子会成为弱不经风的病夫，或者成为社会上的恶棍。然而，只重视品德教育，孩子会成为病夫，懦夫。这种人对社会、对人类都是无用的，因此，孩子的教育必须三方面并举。

为儿子做“行为录”

在培养儿子的善行上，我下了很大的功夫。从卡尔很小的时候我就开始给他讲自古到今有关行善的各种故事。只要儿子做了好事，我就马上表扬他：“好！做得好！”有时还在妻子和亲友面前表扬说：“卡尔今天做的这一件事很不错。”当然，我对儿子的表扬并不会做得太过分，以防止他产生自大情绪。我也不把这些事到处张扬，只是对少数了解他的人提及。

在卡尔稍大一些以后，我就开始教他背诵各种道德诗。我认为，德国有很多讴歌仁爱、友情、亲切、有度量、勇气、牺牲等方面的诗篇，这些都是培养孩子品德和善行的宝贵才富。我一直让他多接触这些美好的东西。在卡尔刚刚几岁时就能很熟练地将这些诗篇背诵下来。

为了鼓励儿子，我为他做了一个“行为录”，将他做的好事记到上面留做永久的纪念。由于这样的鼓励，幼小的卡尔就立志要一辈子多做好事。在卡尔的孩提时代，总会为自己的好事上了“行为录”而兴奋，并且时常翻看它们，每当这时，我总会从儿子的脸上看到幸福的笑容。

就像培养儿子其他方面的好习惯一样，在培养卡尔行善方面，我从不强迫他去做他不愿做的事，而是将功夫下在让他以此作为一种乐趣上，让他享受做了好事和克制自己时的喜悦。当然，让孩子理解和记住这些喜悦的趣味确实很难，但也决非不可能。我相信，只要耐心教育，孩子就能学到并尝到做了善行和克制自己的乐趣。

我下大力培养卡尔的善行是为了使他成为一个高尚的人。为此，我常向卡尔讲述有关做坏事的人遭到报应的故事，并对这些人的恶行加以严厉的批判。我用这些反面的典型作为劝诫儿子从善的手段。

很多父母在孩子成长之时都会碰到一大堆诸如此类的问题：“我的孩子为什么说谎?”“我的孩子为什么任性?”“为什么他这么小，就那么残忍地对待小动物?”很多父母在这些问题面前束手无策，只能很痛苦地说：“唉，早知今日，真不如不让他来到这个世上。”这些令人头痛的问题，搞得他们既困惑，又狼狈，他们常常难以相信自己会教育好这些小机灵，更不知如何对待孩子身上那些知错却不易改的坏行为。也有的父母说我几乎倾尽全力教他，却不知如何改变他没有道德的行为，他一点也不善良，也不懂得体贴人，还有那么多不听劝、不悔改的坏行为。我认为，只要方法得当，孩子会被教育得很好的。

我认为，每一个人的行为都要受社会规范的约束。社会规范不是玄妙的观念，也并非很空洞的一种说教，它是一种行为法则，包括我们每个人形成的思想、感情和行为。对于孩子而言，最初的约束来源于身边最亲近的人，只要身边这个人善良、公正和有责任感，他就会把这一美德传授下去，孩子是可以和能够被教育的。作为父母不应仅仅教他们如何享受好的物质生活，更重要的是关怀他们的成长，真正表里如一地成长。

希望培养出善良、有责任感的孩子，仍是为人父母最根本的要求和愿望。关于美善与公正的个人标准结构等，对孩子在未来的人生成长中能否成为公正和善良的人非常重要。只要我们在这方面稍加放松，不良习性就会乘虚而入。一个没有或不讲良知的孩子，会成长为社会罪人，他们伤天害理，冷漠，没有任何同情心。他们没有任何羞耻心地去伤害他人，扰乱社会，是多么令人心痛！在揭露他罪行的同时，人们会感叹，这原本也是一棵可以成材的小树，却不知在哪个季节浸染了病毒？很多人在看到这样的孩子时，一边痛心疾首，一边捶胸自问：为什么我的孩子会是这样？

我认为，单纯依靠对孩子的奖惩，无法使他学会分辨是非。很多父母采用这样的办法，孩子某件事情做好了，做成功了，就给他奖励。如果做得不好，就横加罚戒。这种简单的方式，是父母一种不愿意花时间精力教育孩子的表现，也是一种对责任的逃避。如果孩子一旦发现了这种规则，就立刻掌握了父母的衡量尺度，他也会采取一些对付的办法。这样，孩子心目中只有这种惩罚或交换的关系。作为父母，如果不做认真分析和教育，不考虑孩子们的内心世界，因此而引出的痛苦与慌乱，无论如何不能使他们上升到明辨是非的程度，当奖赏有所改变，便没有任何理由要他继续坚守先前的规则。

我认为，惩罚只是一种短期、表面有用的东西，对于真正教养孩子的理由是不充分的。他们并非在此明辨是非过错，是非概念在孩子的心中只是这样认为，这样做了有奖，那样做了有惩罚。所以在对儿子的教育中，我总是通过一些有效的方法让他懂得什么是善、什么是恶，让他真正感到行善之中的快乐，而不是简单的奖励或惩罚。

我认为，理想的人是品德、健康、才能都得到良好发展的人。只重视他的身体，孩子将成为四肢发达的可悲的愚人；只重视智力，孩子会成为弱不经风的病夫，或者成为社会上的恶棍。然而，只重视品德教育，孩子会成为病夫，懦夫。这种人对社会、对人类都是无用的，因此，孩子的教育必须三方面并举。

教育孩子不仅是发展他们的智力，同时要培养他们的品德及善行。我认为，如同智力的培养需要从孩子一出生就开始一样，孩子优秀的品德也必须从摇篮时期开始熏陶，否则，是没有希望的。对孩子进行道德教育，越早越好。

孩子的心灵是一块奇怪的土地，播上思想的种子，就会获得行为的收获；播上行为的种子，就能获得习惯的收获；播上习惯的种子，就能获得品德的收获；播上品德的种子，就能得到命运的收获。在孩子品德的培养中，父母起着至关重要的作用，因为父母是离孩子最近的人，也是相处时间最长的人。父母的一言一行都是孩子模仿的对象。

我始终这样认为，由于社会上没有专门培养孩子品德的机构，这个任务就落在了父母的身上。那些不注意培养孩子品德的父母，是没有尽到责任的父母。母亲爱虚荣，那么女儿必然是这样的。父亲好喝酒，儿子也会喝酒；父亲管不住自己的嘴，儿子也会如此。父母如果严格要求自己，作孩子的表率，努力培养孩子的好品德，就会为他们的美好前程创造条件。这样的父母是值得令人尊敬的。

我认为孩子是父母的影子，孩子是父母的翻版。我向卡尔灌输任何东西，自己都要做出榜样。为了培养儿子的品德，我知道我的行为要自慎，应处处作他的表率。

我在对卡尔的教育中，特别注意培养他从小养成勤恳的习惯。我认为，勤恳是一个人最主要的品德，是幸福的源泉，而怠惰则是万恶之源。一个孩子的精力不用到有益的方向，就会成为破坏力量，那是很不幸的。

我无数次地对卡尔提到柏拉图曾说过的那句话：**“任何坏人也不是出于本人意愿成为坏人的。”**以此来教育他要严格要求自己，一切的行为都要以行善为宗旨。人之所以成为坏人，大多是父母教育不良的结果。

我告诫所有的父母，应从小使孩子养成勤恳的习惯，使恶魔无机可乘。教育他们从小就爱劳动、好学深思、关心和同情他人。这样，孩子一定会成为幸福的人。

我时常教育儿子一定要成为勇敢的人，因为勇敢是人的一种重要品德。有的父母看到孩子受了一点委屈就过分地安慰他，反而加重了孩子的痛苦，这是一种错误的作法。正确的作法是不过分地谈这件事，应该把孩子的注意力迅速转移到其它方面去，以帮助他忘记痛苦。有的人专门靠别人的怜悯生活，再也没有比这种毫无骨气的人的生活更加悲惨的了。但是，勇敢的人并不是无情的人。我常常告诉儿子，应该做一个既勇敢又有同情心的人。

我告诉卡尔，自己的所作所为必然会得到相应的报答。我认为让孩子懂得这一道理非常重要，也按照这一原则教育儿子。

劝戒行善的目的与培养善行的目的多少有些不同。对于前者，我一般以钱作为奖励，对于他所做的善行，则不给钱，而是定入“行为录”中去。

我告诉儿子：“学习为我们带来现世的幸福，善行则给我们带来上帝的嘉奖。”

为什么我要用钱来奖励儿子

在儿子的教育过程中，对他的奖励我往往把钱作为奖励和写入“行为录”二者兼顾施用。

如果儿子学习好，我就每天给他一个戈比做为报酬。但如果他学习很好，可是行为有过错，那儿子就领不到这一个戈比的报酬了。

常常有这样的情况，当儿子犯错误时，他会主动地说：“爸爸，因为今天我犯了错误，所以不要钱了。”这时，我由于激动甚至想给他两倍的报酬。但是为了儿子着想，我不得不抑制住激动的泪花，克制住自己的情感说：

"是吗？爸爸不知道。那么明天做好事吧。"实际上这时我内心里是难受的，为了表达我对他的爱，这时我常常是不由自主地亲吻他。

在卡尔太小，还不懂得用钱的时候，我采用其它的办法。如果他做了好事，第二天起床时，他就能在枕头旁边发现好吃的点心。我会告诉他，这是由于你昨天做了好事，仙女奖赏给你的。假若他作了坏事，第二天早上起来这些东西就不见了。这时，我就告诉他，因为你昨天做了不好的事情，仙女没有来。

如果他脱下衣服，自己不收拾时，就让它一直放到第二天，我们也不收拾，并且决不拿出新衣服给他穿。

这些做法都是为了让儿子从小就明白好行为有好报的道理。

很多人问过我，为了鼓励儿子的学习，为什么用钱来作为奖励呢？这是我为了让卡尔懂得"学习能带来现世幸福"的含义而采取的一种比较实际的方式。虽然不好意思，但只要儿子学习好，我就每天给他一个戈比。这样做是为了让儿子切身体会到获得一点报酬是多么的艰难。

让孩子明白这一点极为重要。

我反对那些给孩子过多金钱的做法，让孩子轻易地得到想要的东西尤其是金钱，会让他产生依赖别人的习性。

如果一个孩子在父母那里很轻松地得到金钱方面的奖赏，那种后果是极为可怕的。一方面，他会毫不珍惜地将钱随便花光，不会把钱用到应该用的地方，甚至错误地利用这些钱。另一方面，孩子由于轻松地从父母那里得到钱，他就会产生什么事都容易做到的错误想法，以至长大后不会去为自己的生存奋斗，甚至会变得懦弱和堕落。

我有一位富有的朋友。由于他过分地溺爱孩子，时常给孩子太多的钱。他认为这是应该的，因为他觉得自己很富有，就应该让儿子也过豪华的生活。孩子名叫恩斯特，他的零用钱几乎是卡尔的十倍。

由于得到父母丰厚的零用钱，又没有得到父亲的正确教导，恩斯特在花钱方面极为"阔气"。在同伴面前始终是高高在上的感觉。他并没有用这些钱来购买对自己有用的东西，也没有用它去帮助那些需要帮助的人。

由于"富有"，恩斯特很快就成了那些坏孩子追逐的对像。他们讨好他、奉承他，经常向他说一些动听的恭维话。恩斯特时常在这种良好感觉之中飘飘然。于是，他就把从父母那里得来的钱随意请他们吃喝，有时还给他们钱。如果那些孩子得到这钱能做一些好事的话，那还说得过去，但我想他们不会那样的。

恩斯特的大方得到了那些孩子的"尊重"，很快他就成了他们的头儿。他们听他指使，对他唯命是从。在这种情况下，恩斯特还以为是自己有独特的魅力才会得到他们的喜欢，他并不知道事实并非如此。

在和那些孩子交往的过程中，恩斯特渐渐发现了金钱的力量，于是当有的孩子不听他的指命或和他有矛盾时，他就花钱买通别的孩子去打他。时间一长，他变得蛮横无礼，心地凶残。有一次，一个农夫因不小心在路上撞了他一下。他就命令自己的手下对那个农夫进行报复。那些孩子在路上将农夫团团围住，并用石头打得他头破血流，并且威胁他不能把这件事张扬出去。

恩斯特不知道，成天跟随他的那些孩子并不是真的对他好，而只是想从他那里得到好处罢了。他们引诱恩斯特参予赌博，并用事先想好的计谋让他输，用各种卑鄙的手法骗他的钱。可是他根本没有注意到这些问题，还为他们能给他提供新的“游戏”而感到高兴呢。对于输钱他也无所谓，因为他的父亲会不停地再供给他用。

可想而知，恩斯特在这种“风光”的童年中怎么会有好的学习成绩。他的乐趣都用在吃好吃的东西、打架和赌博上。学习对他来说只是给父母装装样子！他没有尝到学习的快乐，也没有得到学到知识带来的喜悦。他认为学习是没有用的东西，因为每当看书时他就会觉得头痛，而和那些孩子在一起胡闹时他才会感到自在。

不用说恩斯特会有什么样的将来，他的放纵很快就让他尝到了苦头。渐渐的，他的恶劣行为传到了父亲的耳中，那位被他打的农夫向他父亲告了一状。父亲气愤之极，将他痛打了一顿，并且停止了他所有的零用钱。

倾刻之间，他成了一个“穷人”。

在一次赌博中，恩斯特把剩下的钱都输光了。当他向其他的孩子借钱做赌本的时候，那些孩子翻脸了。他们告诉他，“你现在没有钱了，就不要再玩下去。”“我们都听说了，你的父亲再也不会给你钱，你用什么来还我呢？”

恩斯特气愤极了，他没有想到平时的“好朋友”忽然之间完全变了样。他和他们争吵起来，并开始动手打架。那些孩子围着他，让他吃够了苦头。其中一个孩子用一块石头砸破了他的头，他正是那个被打的农夫的儿子。

从这件事我们不难看到，孩子的成长与父母有多么大的关系啊。恩斯特本来能够成为一个正直、爱学习的孩子，他有很好的家庭环境，有很好的学习条件。但他不仅没有在优越的环境中向好的方面发展，而且还为自己的恶行付出了代价。我认为，这完全应归罪于他那个愚蠢的父亲。

我曾经把这件事告诉了卡尔。儿子当时气愤极了，说这样的儿子和这样的父亲都是魔鬼制造出来的。他向我表示，一定要好好地利用自己的钱，用它们去做一些应该做的事。并表示有我这样的父亲让他感到幸运和骄傲。

教儿子懂得获得一点报酬有多么艰难

我教育儿子懂得获得一点报酬是多么的艰难，并尽量教他把钱花得有意义一些。我告诉他仅仅买点心之类没有多大的意义，而买书等工具却可以永久发挥作用。有时我还提示他，如果在圣诞节之类的节日里给朋友和穷人家的孩子买点礼品，他们一定会感到非常高兴。

附近的人们遇天灾人祸等不尽人意的事时，不管身份相称与否，我都会带着卡尔前去看望。

每当这种情况，卡尔总会把自己的存钱拿出去慰问受灾者。这时，我总是不失时机地表扬他："卡尔，你做得很对，尽管你的礼物很少，但却像圣经里记载的那个寡妇的一个小钱那样有价值。"

卡尔知道，我说的"贫穷寡妇的一个小钱"，是圣经中的故事，在马可福音第十二章的结尾这样写道：

耶稣对着银库坐着，看众人怎样投钱入库。已有好些财主往里投了若干的钱。这时有一个贫穷的寡妇过来，往里投了两个小钱。耶稣便叫门徒过来，对他们说："我实实在在告诉你们，这贫穷的寡妇投入库里的，比众人所投的更多。因为那些人都是自己有余，拿出来投在里头的。但这寡妇是在自己不足的情况下，把她所有的养生的钱都投进去了。”

类似这样，引用圣经中的故事和古今传说以及诗中的语言等来教育卡尔做好事，已成了我的习惯。

我从卡尔小时候起，就让他记住了这些话。所以每当我问到儿子：“卡尔，某某人在这种情况下是怎么做的?”时，他立刻就能明白，或者努力做好事，或者停止做坏事。

同情和关心他人，非常重要，它关系到一个孩子将来能否成为一个受欢迎的人。如要想孩子长大后具备同情心、爱心，就必须从小开始对他们加以培养。

不仅是我，卡尔的母亲也非常重视对儿子的性情教育，她对儿子在善行方面的教育非常重视。为了防止孩子变成一个只顾自己不顾别人的人，卡尔的母亲在儿子还只有两岁多的时候，就开始训练，具体的方法就是让他从心疼妈妈开始。她教他在妈妈生气时过来给妈妈消气；妈妈生病时给予体贴的表示，给妈妈做一些力所能及的事。

正是通过这些训练，我和他的母亲成功地培养起了儿子的同情心，使他对别人的情感和思想非常敏感。他周围的人都能感受到他减轻他人痛苦、替他人分忧的纯真情感，并因此而喜欢他。

有一次，我偶然发现卡尔的钱少了许多，这让我感到非常的奇怪，因为儿子总是把我分给他的钱好好保管起来。他的每一笔开支，无论是买书本还是买学习用具，都会告诉我，并且时常征求我的意见。

当我问起他忽然“消失”的那些钱时，他告诉了我一件令人感动的事。

儿子认识了一个小朋友，名叫豪斯，他是一个农夫的儿子。

豪斯是个爱学习的孩子，可是由于家境贫寒，没有得到受教育的机会。或许是天生的缘故吧，豪斯对书本有浓厚的兴趣。

儿子告诉我，他和豪斯的交往就是从书本开始的。

那一天，卡尔捧着心爱的书本坐在田野的一块石头上看书。正当他津津有味的时候，他发现有人躲在他的背后，这个人就是豪斯。

豪斯告诉卡尔，他也很想看书，可是家里没有这些对他来说很奢侈的东西。他很想听听卡尔给他讲书里的故事。卡尔周围的玩伴并不多，那天他就像找到一个知己似的给豪斯讲了许多书本中的知识。

豪斯也给他讲自己的生活和家庭。

豪斯的父亲是个非常勤劳的人，整日辛勤地劳作，为了家庭付出了一切。他的母亲是位善良的女人，虽然自己没有受过教育，但她仍然希望豪斯能成为有作为的人，她教育他勤劳、向善。但由于没有良好的条件，不能让儿子去读书、学习。她时常为此黯然泪下。

豪斯告诉卡尔说非常羡慕他，因为他有书本，有学习用具。如果他也有这样的条件，也会成为一个有知识有作为的人。

卡尔深受感动，他立刻跑回家给豪斯拿了一些纸和笔，并从自己的积蓄中拿出了二十戈比。

他对豪斯说："这是我对你微不足道的帮助，虽然很少，但也是我的一点心意。我希望你从现在开始好好地学习，上帝是不会辜负你的愿望的。”

后来，豪斯的父亲带着他亲自到我家里上门道谢。

他说：“威特牧师，您有这样的儿子，真令人羡慕啊。他就像一个天使，把爱给予了我的儿子。愿上帝赐福给他。”

我给儿子钱，是为了让他懂得学习的好处，也是为了培养他的善行。他从小就知道用自己微小的力量去帮助他人，这不就是上帝给他的恩赐吗？

我为了鼓励儿子的学习，曾经还做过这样天真的事。每当儿子看完或译完一本书时，我俩都如释重负，两个人便一起喊着作者的名字：“荷马万岁”、“威吉尔万岁”等。这时他的母亲也会进来祝贺。

接下来我们就上街买回来好多东西，做卡尔爱吃的饭菜，叫两、三个经常来往的亲友开晚餐会。席上我首先讲：“这本书是相当难的，但是卡尔以顽强的毅力终于啃下来了，从而使学习得到很大提高。”

听了我的告白，人们接着便向卡尔表示祝贺：“恭喜恭喜。”然后是前来聚会的朋友从读完的书中提出问题，这时卡尔就叙述全书的大意，或者其中的一段。

最后，晚餐会在卡尔的“上帝，感谢您！由于您赐予我这样好的父母，赐予我健康、力量和各种思想，才能使我学问上进”等等的致词中结束。

我教儿子怎样用钱

大约到了卡尔 5 岁时，他已存了一笔对于孩子来说算是不小数目的钱了。从那时起，我就开始指导他怎样使用那些钱。

我认为，从小对孩子进行严格的教育，也应该教会他如何使用钱，这是一种素质。它是直接关系到人一生中的发展和幸福的一个重要因素。

我把这种教育称作理财教育，它是我教育卡尔的一个重要组成部分，也是培养儿子素质的重要内容。

我认为，理财能力是孩子将来在生活和事业上必须具有的最重要的能力之一，这种能力的培养应该从少儿阶段就开始进行，做得愈早，效果愈佳，否则将会非常被动。

孩子是最容易犯错误的人，但并非就是该宽容的人。年少的孩子不具备固定的收入，不具备成熟的金钱意识，他们不知道怎样管理好自己的钱，但有强烈的使用钱的要求和欲望。这就容易导致孩子在用钱方面极易出现种种错误，这是错误直接关系到他们本身的成长，关系到他们的发展和前途。

所以，在这方面我对卡尔也同其他方面的教育一样，从他很小的时候就着手培养。

通过对一些孩子的观察和研究，我发现他们都有非常近似的错误：滥用父母的钱；现在享用，以后付钱；只把钱看成是现在买某种东西的一种工具；没有存钱积累的习惯，花掉的比积攒的多；钱在被花掉之前，已经有过好多次的购买欲望了；买东西时，把身上的钱花个精光；只在花钱时才有一种满足感；轻易相信别人付出的承诺；不作计划。

这些都是孩子在使用钱上经常容易犯的错误。帮助他们克服这些错误，树立起码的、正确的金钱观，培养他们拥有将来必需的能力，是每个家庭的基本责任和义务。

有的父母无偿地向自己未成年的孩子提供金钱，一味无条件地满足孩子的花钱要求，放纵孩子过分的物质欲望，这只能助长孩子的恶习，当他们在成年以后靠自己有限的收入生活时，一旦需要做出影响自己经济境况的重要决定，就显得手足无措，既缺乏能力也缺乏心理上的应变力。

我之所以给卡尔钱，主要是让他从小就学会懂得怎样计划使用他的钱，并且让他了解劳动与报酬之间的内在联系，要让这些在他心中打下深深的烙印。我不会无计划地给孩子钱，而是像在前面谈过的那样，在他做了好事的情况下给他。

我发现，孩子在3岁左右的时候就开始萌发出独立的自我意识，产生"我自己来"、"我会做"、"我能做"的自我意识和表现欲望。所以在儿子3岁左右时我就开始对他进行这一类的教育。这种教育与其他教育一样，对孩子来讲都是自然、适时的。它必然会像其他教育一样，为孩子的成长提供必不可少的丰富养料，而不应像很多父母那样认为孩子在少儿时期不应该接触金钱。

我认为，对孩子在使用钱上的教育，可以把它看成是一种工具和手段。教育的目的并不仅仅是让孩子学会攒钱或一定要让他经商，而是要让他成为一个能干的、健全的、真正的人。在这一点上，基础品质的培养显得尤为重要。

首先，应该教会孩子诚实。因为这关系到他将以一种什么态度去从事那些事关钱财的活动以及由此带来的社会和公众对他的评判。而且，在这方面存在问题，就将给他以后带来麻烦甚至酿成极其严重的后果。

对卡尔这方面的教育我采用了一些这样的方式：

我给儿子讲述一些能够阐明诚实品格非常有用的事实或其它方面的书籍中的故事，在孩子的头脑中加深诚实的概念及不诚实的后果。

我时常认真审视自己的诚实标准。我的行为对孩子留下了什么印像？是否在儿子面前讲过一些无伤大雅的谎话？

通过日常的培养，我帮助卡尔使诚实的品格个性化。特别是到了上学年龄，我就开始鼓励他用自己内心的道德标准来判定某一行为的是非。我激励他在面对生活中真正艰难的选择时，做到诚实、守信、积极进取。

我时常告诫卡尔，让他懂得在金钱面前保持自尊。

我认为，在现实生活中，金钱是一种最容易让人失去自尊，而做出违背自己的心愿的事情的东西。而一个人如果在金钱面前能保持自尊，不出卖自己的原则，他就会获得世人的尊敬，到头来金钱就会尊敬他，使他得到事业上更大的成功与收获。

在我自己的行为上，我极其注意在金钱方面为孩子树立自尊的榜样。儿子通过儿时的种种经历和这种榜样的学习就基本上能树立自尊。

我认为，应该注意给予孩子家庭稳固的重要感觉，父母要善于倾听孩子的心声，在各种情形之下所遇到的问题，都应该征求孩子解决这个问题的意见。

让孩子有成功的满足感也极为重要。每个孩子都需要在某件事上获得成功。经常给孩子一些增强自信心的机会，允许孩子选择他自己为成功而奋斗的领域。父母应该避免不断地替孩子做决定。

我非常注意让儿子感受到自身价值的喜悦。因为当一个孩子发现自身的价值时，他会感到无比喜悦，有种发自内心的幸福感。发现孩子的独特点，经常给予真诚的表扬，有助于他保持自尊。

在对卡尔的理财教育中，我让他学会节俭，认识每件东西的价值，而不是无谓的浪费和对有价值东西的破坏和消耗。对每一个家庭而言，如何持家是非常重要的，我们应该教会孩子认识每件东西的价值，因而爱惜保护它。

我时常帮助卡尔从事一些力所能及的劳动，从而使他得到自己所想要的东西；经常和他一道讨论地球上的自然资源，告诉他金属、木材以及纸张从何而来，要他认识到这些东西非常有限。如果他因滥用或疏忽大意让物品遭到破坏，我会让他亲自去尝试修理。

我还告诫卡尔，尽管我们都十分喜爱财物，但不要由此一味贪图财物。因为财物虽可以给我们的生活提供支持，但它却不能创造一种真正有意义的生活。

我是一个简朴而克己的人，一直非常重视将简朴的作风教给儿子。孩子决定着一个国家的未来，如果主宰国家未来的是贪图享受、奢糜腐化的一代人，那么这个国家将不堪设想。

满足感是简朴的根本所在。“觉得足够就是足够了”的态度肯定会对简朴品质的养成起到巩固基础的作用；我用这句话来教育儿子不要贪心。

我时常与卡尔谈论简朴如何给人带来自由，而不是束缚。把谈话的重点放在美、友谊之上，让人的价值高于物质的价值。

简朴的作风虽然很难培养，但让孩子时时记住“在所有的事情中，忠爱简朴”这句话，那么他简朴的好习惯便会渐渐形成。

儿子的母亲是他的一个外交家

卡尔在成长过程中得到了他母亲的亲切关怀。他的母亲在儿子身上付出的心血不亚于我对儿子的教育。可以说，卡尔之所以有良好的品德，开朗活泼的性格，以及对他人所具有的同情心，与他母亲对他细心的培养是分不开的。

儿子的母亲是他的一个外交家。教会他怎样与人说话，怎样与人相处，甚至衣着方面怎样才会得体，都是母亲一手操办的。

无论是孩子还是成人，对于命令他们干这个，禁止他们做那个，都会有些反感的。在这方面，卡尔的母亲总会考虑一种绝妙的办法，她不说要干什么就能使儿子自然地去干；不说不许干什么就能让儿子自觉地不干。他母亲曾经对我说过，命令孩子学习，强迫他学习是无效的，与其命令他学习，不如引导他正确地对待学习。虽然儿子的学习由我负责，但他母亲也给我出了不少主意。

我认为，母亲应努力保持住自己在孩子心目中的权威。有的母亲好穿新奇的服装，打扮得过份地艳丽，走在街上成为人们的笑柄。还有的因懒惰而衣冠不整，也同样引人耻笑。当孩子看到自己的母亲被其他孩子讥笑时，就会感到很难堪。不仅如此，这还会给孩子的精神带来很坏的影响。所以，作母亲的必须检点一些，既不应散漫，也不应过于乔装打扮。不然的话，母亲的权威就会下降。这种下降就是教育孩子失败的开始。很多做母亲的都不注意这一点，以为自己的行为与孩子无关。其实不然，往往很多孩子在这种母亲的不经意中失去了良好教育的机会，甚至越来越糟。

卡尔母亲曾经对我说过一件事，很多事说明母亲在孩子心目中没有权威将会带来什么样的结果。

有一位母亲把女儿送到女子学校去上学。她省吃俭用，使女儿穿上与其身份不相称的艳丽服装。尽管如此，她女儿还是一点也不喜欢这位妈妈。有一次，她女儿对卡尔的母亲说："我妈妈穿着那么花俏的服装到学校来，使我感到非常难堪。我从 4 岁起，由于母亲这样做，就感到很难为情。"

作母亲的不应该这样。她虽然是为了女儿好，但还是失去了女儿对她的尊重。也许有人会责备她女儿无情，但我却很同情她。虽然这位母亲在女儿的外表上花了很大的功夫，把女儿送到洋气十足的女子学校去，但是，我认为她没有尽到母亲的义务。

父母是孩子的范本。母亲衣冠不整，孩子也是如此，这是不言而喻的。散漫的坏习惯往往缠绕一个人一辈子，这对个人极其不利。社会上有许多人因衣冠不整而失去飞黄腾达的机会。所以，一个人的装束如何并不是一件小事。

卡尔的母亲非常注意这一点。她不仅自己衣着得体，也把儿子装扮得整洁大方，堂堂正正。

卡尔的母亲曾对我说：**"衣冠不整，精神上也必然是**

散散漫漫。所以，衣冠端正，能使人精神抖擞。”所以，她给儿子穿着的服装虽不奢侈，但都是整洁的。

我认为，整洁的服装能使人产生自尊心。不仅是人，就连马也是如此。给马换上好鞍，它就表现得扬眉吐气；给它换上破旧的马鞍，就表现得垂头丧气。马都是这样，何况孩子呢。穿着不体面、不整洁的孩子，决不会有任何出息。

在注意服装的同时，卡尔的母亲还非常注意让儿子保持身体的清洁卫生。她教儿子洗脸、洗手、早起刷牙、梳头。因为身体清洁也能促使孩子保持自尊心。卡尔的母亲把分寸把握得特别好，并没有让儿子沾染上好打扮、好漂亮的习惯。孩子之所以有那些坏习气，大多是受母亲的影响，因此必须警惕。

人既然活着，就不可什么时候都无所事事。有的妇女对于个人的修养和教育孩子不感兴趣，这种人往往埋头于打扮竞赛。为了孩子的一生，这是应当避免的。

卡尔母亲除了关心儿子的教育和衣着，也很关心他的游戏。多数母亲不关心孩子的游戏，这很不好。她们为家务事所累，当孩子作一件事情要她看一看，头也不回。因此孩子倍感无聊，心事重重，有时孩子甚至还遭到训斥和打骂。这完全是母亲的不是。

为了使卡尔养成良好的品德，他母亲还给他绘制了品德表，一周一张，内容有：服从、礼节、宽大、亲切、勇敢、忍耐、诚实、快活、清洁、勤奋、克己、好学、善行。如果儿子做了与这些项目相符的行为，就在那天的一栏中贴上一颗金星，反之，则贴上一颗黑星，每个星期六数一下，若金星多的话，下周内就可得到和金星数相等的书、鲜果、点心等，如果黑星多，就不能得到这些奖品了。

这个品德表，在星期六统计之后也不准儿子将其扔掉，这样做是为了使儿子下决心，在下周消灭黑星。这样就有利于培养儿子积极的心态，因为如果长期保留黑星，会使儿子感到沮丧。

有一天，卡尔独自一人在家，他把我们养的一只小狗拴在屋外的院子里。不久，天下起雨来，但卡尔并没有把小狗带到室内来。小狗在外面“汪汪”大叫，冰冷的雨水使它浑身发抖。

这时，他的母亲从外面回来，看到这种情况，赶忙将小狗牵到了屋里，并立刻质问卡尔。

“卡尔，你为什么让小狗在外面淋雨。”

“我……我忘记把它带回来了。”

“可是，你没有听见它在叫你吗?”母亲听他那样说非常生气，因为她知道儿子在撒谎。

“我想它在外面没什么!”儿子为自己辨解道。

“没有什么?那么把你也放在外面去淋一会儿雨，你愿意吗?”

“不愿意。”

“卡尔，你自己不愿意，为什么要小狗去淋雨呢?你看，天气这么冷，小狗也会生病的。把小狗放在冰冷的雨水中，这是多么残忍呵!假若有谁让你去淋雨以致生病的话，做妈妈的会该有多么伤心呀!”

听了母亲的话，卡尔低下了头。他承认是自己错了，并表示以后再也不会这样，一定要爱护小动物。

卡尔的母亲就是从生活中的一些小事开始，一点一滴地培养儿子的善行，并教会他做人的道理。

怎样才不会惯坏儿子

无论在教卡尔学习知识还是培养他的善行时，我都从不斥责他，而是耐心地讲道理。我认为这才是最有效的教育方法。

其实，孩子做坏事，罪过在大人身上，而不在孩子。孩子做坏事是由于父母不把孩子的精力引向好的方面，是放任不管的结果。要想把孩子的精力引向好的方面，必须尽早开始让孩子对工作、劳动感兴趣。并且培养他多方面的能力和爱好。只有这样，才能逐渐培养孩子健康的内心世界。

很多母亲以为用打孩子的方法就可以教育好孩子，这是一种极为错误的观念。所罗门的箴言中有这么一句话：不鞭打孩子，就会惯坏孩子。我认为这是不正确的观点，它不仅误导了很多年轻的父母，也伤害了孩子。有些父母时常打孩子，以为这样就不会惯坏孩子，实际上这只能使孩子变得顽固、冷酷、残忍。

有一次，我遇到一个小孩子正在虐待一只小狗。他用一支梳子使劲地打那只可怜的小家伙。我赶忙走过去制止他。

我问他："孩子，你为什么这么打狗？你不以为它很可怜吗？"

他回答："因为我父亲就时常这样打我。我都不被人觉得可怜，那么小狗也不应该可怜。"

在我们周围的很多家庭中，有些孩子被父亲打坏了耳膜，他们的脸上经常有父亲留下的手印。这真是令人痛心，可悲可叹啊！上帝叫我们爱别人，可是在这种粗暴的教育下成长的孩子将来怎么能够去爱呢？

我多次说过，自尊心是一个人品德的基础。若失去了自尊心，一个人的品德就会瓦解。人之所以变成醉汉、赌徒、乞丐和盗贼，都是由于失去了自尊心的结果。父母经常地责打孩子，只会伤害他们的自尊心，除此之外没有任何好处。父母经常絮絮叨叨地数落孩子的过失，只能有损孩子的自尊心。这都是不正确的做法。

我一直不主张体罚孩子，也从不对卡尔施行体罚。许多父亲一生气，就毫无顾忌地打孩子。等他们平静下来之后，又去吻又去抚摸打疼的地方，或者给孩子糖果吃。

这种教育方法绝不能培育出优秀的人才，只能造就出懦夫和蠢才。孩子的教育也包括着父母的教育。作父母的，在管教孩子之前，必须首先学会管好自己。

父母要让孩子成为有教养的人，那么自己首先就应该懂得内省自约。否则，任何教育都无济于事。

在家庭中，说话容易毫无顾忌。但是不能因为在自己家里没有制约就想说什么就说什么，想干什么就干什么。因为父母的言谈举止直接影响着孩子。为了教育孩子，父母应该特别注意自己的行为规范，不能把错误的、不良的习惯在不知觉中传染给孩子。

父母一定要让孩子说话有礼貌，对孩子说话也应该使用“请”、“谢谢”这些文明语言。因为孩子总是要学父母的样子的。不仅如此，我认为，即使对家畜等，也不可使用粗野和难以入耳的语言。

像算术和地理等知识，孩子长大成人之后也能学会。然而，教养若不在幼年时期形成，以后就很难具备了。一种好的习惯在孩子幼小时很容易形成，但在他们长大定形后就很难养成了。反之，孩子在小时候就有很多不良习惯，长大后也难以改掉。

在我们周围，有很多通晓地理和历史的人，但举止言谈合乎教养者并不多，这就是因为他们没有从小养成好习惯的缘故。

对于正确的事物，父母应该坚持。如果孩子面对正确的事物而不接受，父母必须让他们学会服从。孩子生下来就是利己的，这似乎是一种天性。他们对他人要求多，为他人着想的极少，简直就是个小暴君。然而，这种性格是可以通过教育加以矫正的。若从很小的时候就教他为他人着想，教他怜悯他人，孩子绝不会成为利己主义者。

曾经，法国的皇帝问他一位元帅的母亲："您是用什么教育方法把自己的儿子培养成如此伟大的人物的？"元帅的母亲回答道："我只是教儿子好好地服从。"

我认为，服从也是孩子的重要品德之一。为了使孩子养成服从的习惯，父母应该首先持正确的观点，要对孩子讲清楚，父母让他干什么，是为了什么应该那样去做；父母不让他做什么，是为了什么不应该去做。一切都要以理服人，不能平白无故地强迫孩子服从自己。父母应该让孩子明白，这样做都是为他们着想的。

小孩子都是很贪婪的。虽然是孩子的本性，但是，也不应该随便责打他们，而是要注意教育方法。只要注意正确引导他们，孩子很快就会成为不自私的人。

卡尔从小时候起，我就鼓励他把各种自己的东西送给小朋友，把学习用具等送给贫家子女，以便培养他的慈善精神。同时，还鼓励他帮助别人干活。卡尔从小就是她母亲和女佣的好帮手。

有些孩子爱说谎，但也不应该动不动就因此而打他，要充分地思考他为什么说谎。孩子们由于缺乏经验，又富于想像，有时会说谎，并且也知道这是坏事。父母不应该过分指责他，但要注意时刻帮助他矫正这一坏习惯。因为从无害的说谎，到欺骗他人的撒谎，它们之间只有一步之遥。但是一定要注意采用有效的方式方法，而不是以打骂来解决问题。

我认为，孩子的很多毛病都可以用阅读和劳动来帮助他们改正。书本中的知识和道理能让他们得到良好的指导，而劳动可以让他感到一切都来之不易。孩子只要具备了知识和劳动的习惯，那么就会向良好的方面发展，进而成为有教养的人。

有个恶汉曾在法庭上傲慢地说："我自生下来，就不知道书本是什么东西，也一天未劳动过。"所以，罪人必定是无知、懒惰、不劳动的恶果。

我有一个朋友，因孩子顽劣成性，经常去糟踏花园中的花草，弄得他伤透脑筋，毫无办法。我告诉他："你最好给儿子买锄头和铁锹，让他自己种花。"

朋友马上照办了，并且取得了显著的成绩。这是为什么呢？这当然是由于把孩子迷失方向的精力引导到种花上去的结果。

后来，这个孩子不仅种花种草，还非常爱惜它们。人们再也看不到他顽劣的身影，而是经常看见他在花园中照顾那些小花、小草。并且，他对待别人的花园非常爱惜，从来不去破坏它们。

可见，良好而有效的教育方法能够产生多么大的魔力。

有一天，我在傍晚穿过贫民窟时，到处听见母亲斥责孩子、父亲打孩子以及孩子大哭的声音，简直是一句好话都听不见。

我想，这是由于他们工作一天，疲劳过度，心情不佳，把怨气都倾泻到孩子身上的表现，孩子实在可怜。然而，还有另一种父母，他们饱食终日，无所事事，还不时地斥责孩子，把由于无聊而产生的气恼都倾倒在孩子身上。

我对此感到非常痛心。

常受斥责、打骂，孩子对于这种责打就会习以为常，父母也就失掉了威信，使父母和孩子之间产生隔阂。其结果，对孩子的教育就彻底失败了。

我认为，对于孩子既不可娇生惯养，也不应过多地斥责。只有采用合理、有效的教育方法去引导孩子，才能培养出孩子的善行以及以后做人的能力。

第 *11* 章

我如何培养孩子的各种良好习惯

有的孩子天生很聪明，在他们很小的时候就聪明伶俐，灵气逼人，但由于没有得到父母良好的教导，他们容易对什么都感兴趣，对什么都想学，聪明的孩子最容易如此。

有求知欲和多种兴趣肯定是一件好事，但这要看父母去怎样教导他们。如果没有正确的指导，他们很有可能什么都要学，但什么都学不好。

专心致志的习惯

有的父母问我，为什么他们的孩子每天都坐在书桌旁苦苦学习，却丝毫没有一点长进呢。为什么卡尔学习得那么好，而他们的孩子却始终那么差呢。这些父母对此产生深深的疑问，他们认为自己的孩子已经非常的勤奋，但仍没有好的成绩，是不是自己的孩子太笨，或者实在因为卡尔太聪明。

特别是卡尔在学习上略有所成的时候，我经常被那些善良的父母们包围，他们总是不约而同地向我问这一问题。

对于这种问题，有时我真不知该怎样回答。因为一个孩子的成长是由多种因素支配的。但我有一点可以肯定，那些孩子在学习上之所以没有取得令人满意的成绩，大多是由于没有从小养成良好的学习习惯的缘故。我不相信自己的儿子真正是有多么高的天赋，也不相信那些孩子就一定是天资不足。

我认为，这些都全在于父母，父母怎样去培养孩子，怎样去引导他们才是真正至关重要的。

有的孩子天生很聪明，在他们很小的时候就聪明伶俐，灵气逼人，但由于没有得到父母良好的教导，他们容易对什么都感兴趣，对什么都想学，聪明的孩子最容易如此。

有求知欲和多种兴趣肯定是一件好事，但这要看父母去怎样教导他们。如果没有正确的指导，他们很有可能什么都要学，但什么都学不好。

卡尔也是个好学而有多种爱好的孩子，但他并没有因兴趣广泛而影响学习。关键在于我从他很小的时候就严格地教育他学会计划和安排。

无论在他学习什么的时候，我都要求他达到专心致志。学语言的时候就只考虑语言，学数学就专心于数学。我绝不允许他在学习的时候想着玩，玩的时候又担心学习跟不上。因为不能用心一处，那么一切都是白费；如果不能专心一处，即使孩子整天坐在书桌旁，那也只不过是装装样子而已，只是一种对时间的任意糟踏，也是对自己和别人的一种欺骗。

很多的孩子成天在书桌旁学习却没有好的成绩，大多是由于不能专心导致的。他们坐在那里发呆，捧着书本却心系别处，或者望着天空想入非非。这样的状态，怎么能够学好知识呢？我认为，与其这样，还不如到外面去痛痛快快地玩一场。

我一个朋友的儿子哈特威尔，是一个非常聪明的孩子，他的年龄比卡尔整整大十岁，由于我和他的父亲是多年的老朋友，几乎是看着他长大的。哈特威尔小时候几乎和卡尔一样，对万事万物都有极强的好奇心，也有很强烈的求知欲。

每当我去他们家串门时，那个可爱的孩子总围着我问这问那。或许是我对孩子有很强的耐心吧，我对他的问题总是给予认真的解答。由于这样，小哈特威尔还把我当成他的好朋友呢！

但是，当这个孩子开始接受正规的教育时，他的父母告诉我哈特威尔的成绩总是不尽人意，起初我感到非常奇怪，因为孩子很聪明，他的父母也都是很有学识的人，他们对孩子的教育应该是很不错的，可是为什么会这样呢？

为了帮助他的父母解开这个谜，有一次我要求他的父母允许我偷偷地观察哈特威尔是怎样学习的。

学习的时间到了，哈特威尔像往常那样坐在书桌前准备背诵荷马的诗。我在另一个房间从门缝里悄悄地观察他。当时他在默诵，我能听到他小声的诵读，可是，不一会儿，他小声的诵读声渐渐没有了。我发现他的眼睛并没有放在捧着的书本上而是抬起头呆呆地望着窗外。

我知道，孩子学习走神了，他一定没有把精力集中在书本上。我把哈特威尔的父亲也叫过来观察他。他的父亲看到这样的情景顿时火冒三丈，立刻就要进去训斥孩子。

我及时地阻拦了哈特威尔的父亲，小声地对他说："不要这样，让我去和孩子谈谈。"

我悄悄地走进了哈特威尔的房间。当我已经走到他身后的时候，他仍然没有发现。我想，这孩子一定是在想什么东西都想得入谜了。于是，我轻轻地在他的肩膀上拍了拍，他似乎受到了惊吓，浑身微微地抖动了一下。

"哈特威尔，你在想什么呢?"

"哦，是威特先生。"

"你在想什么呀? 学习的时候应该用心，为什么走神了呢?"我轻言细语地问。

"我……我没有想什么。"

"那好，我再考考你刚才背诵的诗。"我拿起了他的书本，看着他说。

过了很久，哈特威尔一句也不能背出来。他满脸通红，羞愧难当。

"孩子，你如果没有想别的事，那么怎么会一句也记不住呢?"

后来，哈特威尔只得承认他在刚才学习时走神了。

"我也不知道为什么? 看书时总是这样，总要去想别的事情。"

"那你刚才在想什么事?"我又问。

"我在想昨天发生的一件事，有一个小朋友仗着他身强力壮，就欺负别的孩子，我很气愤。我刚才在想我如果是一个武艺高强的剑客就好了，那么我一定会教训教训他。我会骑着高大的白马，挥舞着长长的宝剑去帮助那些弱小的小朋友，一定要让坏孩子尝尝被欺负的滋味……"

他一边说，一边比划起来。

这时，我看到哈特威尔的脸上充满了奇异的光彩，他在憧憬着自己成为英雄的场面。

“听我说，孩子，”我打断了他，慢慢地开导他：“你知道吗？帮助别人是好事，但不能光坐在这里想呀！你现在看的书是荷马，这里面有很多英雄的故事，你应该在书中寻找那些英雄的事迹，看看他们是怎样成为英雄的。何况，你现在正在学习，其他的事情都应该暂时放下，努力地学好本领才会使自己成为一个强者。

你想成为英雄，想帮助别人，就应该在书本中学习那些英雄的智慧，而不是在书桌前幻想自己成为英雄。你说对吗？”

“我明白了。”小哈特威尔好像忽然悟到了什么东西一样，“现在我在书本中学习英雄的智慧，等学完后我再到外面去锻炼身体，也把自己的身体炼得强壮有力。那么等我长大后，就可以真正地帮助那些弱小的人们了，你说对吗？威特先生。”

“是啊，道理就这么简单。”我知道他解除了心中的谜惑，也为他感到高兴，“现在，哈特威尔骑士，你知道怎么做了吗？”

“知道了。”说着，他便捧起了书本，专心致志地学习起来。

后来，他的父母碰见我就说，“威特牧师，你的教育方法真棒，现在孩子的学习成绩提高得真是惊人。”

哈特威尔学习不好的症结在于他不能用心于一处。我发现了这一点，并用巧妙的方式让他全心用于学习，那么他的成绩有很大的进步是很自然的事。

敏捷灵巧的习惯

在卡尔学习功课时，我绝不允许有任何干扰。严格地规定他的学习时间和游玩时间，培养他专心致志的学习精神。

在儿子刚开始学习时，我平均每天给他安排45分钟的功课学习时间。在这个时间，卡尔如果不专心致志地学习，就会受到我严厉的批评。

在儿子学习的过程中，即使是妻子和女仆问事，我都一概予以拒绝，我会对她们说："卡尔正在学习，现在不行。"

有人来访的时候，我也不会放下对儿子的辅导，我吩咐家人："请让他稍候片刻。"我这样做的目的是让儿子在学习时养成一种严肃认真、一丝不苟的态度。

不仅如此，我还非常注意培养儿子做事敏捷灵巧的习惯。如果儿子做一件事磨磨蹭蹭，即使做得好我也不会满意。这对培养儿子雷厉风行的作风很有积极的作用。

培养孩子敏捷灵巧的习惯非常重要。我们周围有许多人，他们坐下来不磨蹭很久是不会开始工作的，这正是因为他们自幼形成了一种很坏的习惯所致。

他们在磨蹭之中白白地虚度和浪费了多少时间啊！

在对于卡尔的严格教育上，我并没有使孩子牺牲很多吸收其他知识及玩耍的时间，并且使他在每天只花费一、两个小时的时间在学习上就能达到良好的学习效果，这一切正是得之于我培养他形成的做事敏捷的习惯。

卡尔并非别人想像的那样由于学习而失去了玩耍的时间，反而正是由于他在学习知识时专心致志，效率极高，才使他赢得了很多时间去从事运动、休息和参加各种交往。

要想做事专心、提高效率，必须从小养成敏捷灵巧和雷厉风行的习惯。因为我们每个人的生命都十分有限，人的一生就只有几十年，还有大部分时间花费在睡觉、休息上，如果不能够善于抓紧时间做一些事，那么宝贵的时间就像水一样悄悄流走，生命也就像天上的流星那样转眼即逝。

我时常告诫儿子，一个完美的人应该做事果断，行为灵巧，那样才会在有限的生命中做出有所作为的事情来。

有一次，卡尔准备做一个数学练习题。我把题目告诉他就离开了。因为每次遇到这样的情况，我都会给他一个时间限制，在时间未到时，我不会去打搅他，目的是让他能够专心地独立解决问题。

可是这一次，我为了拿一本书，在时间未到时就走进了儿子的房间。我发现他并没有像往常那样在书桌前做练习，而是在房间中转来转去的玩。

我立刻问他："卡尔，你在做什么？为什么不做我给你布置的练习。"

"这道题很简单，时间还早呢。在时间到达之前我一定能够做出来。"儿子根本没有把这件事当回事。

"是吗？你觉得它太简单吗？"听儿子这样说我很气愤，"那好，我再给你加两道题。"

"可是，为什么？"

"你不是觉得时间太多了吗？那你就应该多做些事。"

平时对儿子我是非常严格的，言出必行，卡尔是知道我的作风的。

我把给他新加的两道极难的数学题布置给他后就离开了。

到了规定的时间，我就走进去检查他的作业。他已经做完了两道题，正在解第三道最难的数学题。

“卡尔，停住。”

“可我还没有做完呢？”

“我只是给你加了两道题，但并没有给你加时间。”我严厉地说。

“可是，爸爸，这不公平。”儿子委屈地对我说。

“不公平吗？你自己认为有太多的时间，那么就应该在多余的时间中多做两道题。”

儿子对我的做法仍然不理解，他还没有明白，我这样做是为了不让他养成拖沓的习惯。

“如果在之前你没有磨磨蹭蹭地浪费时间，那么你就有足够的时间来做那两道题了。”我对他说道。

这时，儿子若有所思地看着我，似乎悟到了什么东西。

“你想想看，”我继续开导他，“如果在这之前，你没有把时间浪费在磨蹭上，那么早就做完了我给你安排的题目，就可以用你剩下的时间去看你享受的书和干自己喜欢的事了。在你磨蹭的那一段时间中，你什么也没有做，就好比你把一杯可口的牛奶倒在了地上，那不是一种最大的浪费吗？

所以，由于你今天浪费了时间，我也会浪费你的牛奶。当然我不会将你的牛奶倒在地上，而是送给我们的女佣喝。我才不会像你那么傻，把美好的东西浪费掉，而是要尽可能地发挥它的作用。”

那天，我按着所说的去做了，把儿子的牛奶送给了女佣。

从此以后，卡尔明白了这个道理，再也没有发生上述的那种事情。

精益求精的习惯

在学习语言和数学等知识上，我绝对严禁他在学习当中敷衍了事，这是为了培养他养成精益求精的习惯。

我认为教儿子学习知识就如同砌砖一样，如果不严格要求，就绝不会收到好的效果。做事力图精益求精是一种美德。我最讨厌那种大而滑之的人，他们无论做什么都不去进行深入的研究，他们做的事往往只有大的效果，没有让人值得回味的东西，甚至在很多方面有不可饶恕的错误。

世上有些所谓学者，在说话或写文章中专喜欢用一些装腔作势的语言，以显示他们的学识渊博，但结果却使人费解。我对这些人的缺点一目了然，我认为这些人是不求甚解，对词义领会不深，学得不透。在我的眼里，这些学者都是冒牌货，那些把这种人捧为伟大学者的人也真是愚蠢之极。

我从小就教儿子做事要认真，尽量把一切事都做得尽善尽美。无论对于学习还是对于爱好，都要讲究一个“精”字。我告诉他，任何事情只要有了给人以“精”的感觉，这件事一定就有了价值。

儿子喜欢画画，我就从这一方面去教他理解精益求精的道理，因为艺术的创造是尤其讲究精益求精的。

我给儿子买了很多名画的复制品，经常给他讲解艺术家是怎样完成它们并力图达到完美的。

儿子特别喜欢画小桥，特别是秋天金色太阳下的小桥。他曾经告诉我，在晴空万里的时候，强烈的阳光洒在小桥的石头上时能泛出如黄金般的光芒；小桥下清澈的河水是蓝色的，太阳的反光犹如蓝宝石一般美丽，阴影中是深蓝，显得神秘而变幻莫测。

有一天，儿子带着画具到村外的河边画画，他是专门去画他最喜爱的那座小石桥的。儿子坐在河边的石头上专心地画画，我在一棵大树的影子下看书。

我捧着书本细细地读着，偶然望一望不远处的卡尔。我心情很愉快，也许是天气太好，也有可能是儿子也把我带入一种宁静之中。

不一会儿，卡尔站起身来。他似乎画完了，拿着画板向我走来并把那张画拿给我看。

那幅画的确不错，形像处理得非常好，构思也很讲究，小桥与蜿蜒的河流以及旁边的村庄搭配得错落有致，颇具美感。

我仔细看后，发现这幅画还是有些缺点。换作别的父母，可能会对儿子夸奖和鼓励一番，这幅画也就算完成了，可我没有这样做。我认为发现了缺点就一定要给儿子指出来。

“卡尔，你不是给我描述过你想画的那种感觉吗？可我从这幅画里没有看出来呢?”我问儿子。

“可是，我认为我已经画出来了。”儿子不服气地回答。

“你对我说过，水在阴影中的颜色像宝石那样蓝，而且还有神秘感，我怎么没有发现呢?”

儿子摸了摸后脑勺，仔细看了看画面，又向小桥下的阴影望了望，然后很不好意思地说：“对了，我忘了用深蓝去画水中的变化了。”

于是，卡尔又坐在了河边的石头上。

“爸爸，你看这下行了吧。”不一会儿，卡尔又把画拿到了我的面前。

“嗯，不错，颜色比刚才要好多，虽然这块水中的阴影已经表现出来了，可是仍然没有蓝宝石那样晶莹透明的感觉，更谈不上神秘感了。”我对儿子说道。其实我心里知道，儿子画成这样已经相当不错了。他连阳光下的水和阴影下的水之间不同的色调都很准确地区分出来。除非专业画家，就是经过一定训练的成年人也很难做到。

我本来想，给儿子提些意见，这幅作品也就算完成了，即便有缺点，也可以留给他以后慢慢解决。

“我再去仔细观察一下。”儿子居然来劲了，又重新坐在那块石头上。

我看见他一会儿端详自己的画，一会儿又眯起眼睛仔细观察小河中的流水，一会儿又咬着笔端认真地思索。

这一次他在那里待了很久，连我都觉得应该回家了，可他仍然在那儿坐着。

“卡尔，该回去了。”我催促道。

“等一会，马上就好。”卡尔在远处向我答应了一声。

我看见他突然埋起头，拚命地在画面上涂抹着。嘴里

还不停地嘟囔个不休，也不知他在说些什么。

当他把画第三次拿到我面前时，简直把我惊呆了。桥下那片处在阴影中的水，真如蓝宝石一般的美丽，富有变化，神秘莫测。

"儿子，你真行，你是怎么做的呢？"

"我发现了阴影中的奥秘，它不是一整块深蓝，而是由不同的蓝色组成的，里面有深蓝、普鲁士蓝，还有钴蓝，甚至还有一两点红色，那时岸边的花在水中的倒影……"

当时我很激动，他说的都是绘画中很专业的东西，没有人专门教他，却自己悟了出来。可见他的观察力之强。

"那你刚才在那儿不停地嘟嘟囔囔，你在说什么呢？"

"我不停地说，'蓝宝石'，'神秘感'，'蓝宝石'，'神秘感'，我想只要我用心去做，一定会把那种感觉表现出来的。"

面对儿子这样的回答，我还有什么话可说呢？我压抑住心中的激动，和他手拉手一起向回家的路走去。

在路上，我对他说其实第二次就已经不错了，问他为什么有那么大的兴趣又开始第三次。

"你不是对我说过吗？做什么事都要力图精益求精。"

看着卡尔那股既天真又快乐的劲儿，我真不知道再说些什么，只能紧紧地握着他的手。

坚持不懈的习惯

人在一生中会遇到很多很多的问题，无论是在生活当中还在学习上都会有很多难以预料的困难。我时常教育卡尔，认准一件事后就要尽全力去努力，只要有恒心，只要能够坚持，那么一切困难都会迎刃而解。

在儿子还没有出生的时候，我和他的母亲就决定要把他培养成一个成功的人。尽管当时还无从谈起应努力让他在哪个领域里成功，但我们有一点是十分清楚的，就是要想取得成功，只有认准目标，坚持不懈。所以，在卡尔还只能趴在床上蠕动的时候，我们就开始对儿子作持久力的训练。在这一方面，卡尔的母亲做得非常好，只要儿子遇到困难，她就会用各种方法去鼓励他：坚持一下，再坚持一下，直到他取得胜利。

在卡尔很小的时候，为了训练他的持久力，他母亲先从他的注意力的持久性开始训练，因为注意力持久是行为持久的前提。为了培养儿子注意力的持久性，他母亲用了一个能够引起儿子注意和兴趣的玩具，一只用布做的黄色的小猫。卡尔的母亲先把那只小猫放在儿子前后左右吸引他的注意力，等到他发生兴趣之后就把小猫放在他伸出手差一点就能够得着的地方，吸引他去抓。当儿子老是抓不着准备放弃的时候，母亲便用手推着他的脚鼓励他：使劲儿！使劲儿……。儿子在母亲的鼓励下往往会用力蹬几下腿，尽力地将小猫抓住。在小猫被儿子抓到手后，他母亲就用欢呼和亲吻来庆祝儿子的胜利，让他体验奋斗、成功的喜悦，在卡尔能够爬行的时候，母亲便增加了训练的难度，在他马上就要够着目标的时候，把吸引他的玩具挪到更远的地方，然后鼓励他继续爬着去拿。卡尔的母亲告诉我，这样做既培养了毅力，又练习了爬行，实在是一举两得。

卡尔稍大开始学习知识后，我和她的母亲仍然用类似的方法去培养儿子坚持不懈的能力，久而久之就让他形成了一种习惯，只不过后来不是用玩具而是用书本而已。

卡尔在学习上每一次有质的飞跃，都是通过在一个困难问题面前坚持不懈地努力的结果。

由于儿子在学习上一直都表现得特别轻松，任何有关数学的题目都能够似乎很不费力地解答。为了让儿子的能力有所提高，有一次我给他安排了一道远远超出他能力范围的题目。

我对那一次记忆犹新，因为那天儿子为了做出那道数学题的确费了相当大的功夫，也体现出他超出常人的毅力。

我给卡尔指定题目之后，他就开始像往常一样专心致志在书桌前认真思考起来。每当这时，我会离开房间让他能够在安静的环境之中独立思考。

过了很长时间，卡尔还没有从房间中出来。我感到有些诧异，虽然那道题很难，但卡尔以前从未用过那么长的时间去解习题。何况现在已经远远超出了我给他规定的学习时间。

我走进房间时看见卡尔仍然在那里冥思苦想，而桌上用来做习题的纸仍然是空白一张，什么字都没有。

我问儿子："怎么，是这道题太难了吗?"

儿子抬起头来看了看我，一语不发。

我看卡尔此时满脸通红，虽然天气不热却满头大汗。我当时的第一个反应就是儿子一定生病了。

"卡尔，有什么地方不舒服吗?"我问。

"没有，我在想怎样解答这道题。"卡尔回答道。

“现在已经超过了时间，如果你认为太难就先休息一下吧，明天再来解决它。”我说道。

“不，爸爸，再等一会儿。我似乎就快要找到答案了。请您再给我一点时间。”卡尔说完继续埋头思考。

我想儿子正在解答问题的关键时候，不应该打断他。于是，我又走到了房间外，和卡尔的母亲谈论这件事。

快要吃饭的时候，儿子的母亲有些按捺不住了，她对我说：“你应该让儿子出来了，恐怕那道题太难，卡尔的自尊心太强，害怕做不出而难为情。你去劝劝他吧，不要让他太累。”

于是我又走到了儿子身旁。

“卡尔，你已经尽力了。解不出来没有关系，这道题的确太难了。”我对儿子说。

“不，爸爸，快要做出来了，”儿子说，“您不是告诉我要坚持不懈吗？我已经找到了解这道题的方法，就是差一点点。我想我马上就能完全解答它。”

面对儿子这样的态度，我还有什么话说呢？只能和妻子在外面耐心地等。其实我们已经作好了儿子不能解出题的思想准备，只是觉得儿子既然有那份恒心就尽量支持他。

“爸爸，爸爸，”不久，我终于听到儿子兴奋的喊声。在那一刹那我感到了无比的激动，从儿子的声调来看，我已经知道他成功了。

不出所料，儿子拿着那道题的答案，蹦蹦跳跳地跑了出来。

我看了他的答案，完全正确，并且他的理解思路巧妙之极，似乎还在标准解题方法之上。

那天在晚饭的餐桌上，儿子不停地对我说他是如何去思考，又是如何去寻找解题的着眼点。他也承认那道题确实太难了，他说他从未碰见过这样的难题，但他同时也为自己能够成功地做出来而感到自豪。

当我问他在解题过程中有没有想到放弃的时候，他这样对我说：

"想到过，因为它确实太难了，有很长一段时间，我感到头疼，脑袋都要胀破了。我真想跑出去对你说做不出来了，但每当那个时刻，我就会听到自己心中有一个声音在说：'坚持一下，再坚持一下。'所以，我就发誓一定要坚持下去，非把它解答出来不可。"

那天晚上，卡尔吃了很多东西，睡觉也比平时香许多。他的确累极了。

自从那次之后，卡尔的解题能力得到了大大的提高。在以后的很多时候，他都能够用两三种方法解答一些极难的数学题。

卡尔也通过这一次的练习对只要坚持就会成功的道理有了更深的体会。

第 12 章

我如何防止儿子“自满”

我教育儿子：知识能博得人们的崇敬，善行只能得到上帝的赞誉。世上没有学问的人是很多的，由于他们自己没有知识，所以一见到有知识的人就格外崇敬。然而，人们的赞赏是反复无常的，既容易得到也容易失去，而上帝的赞赏是由于你积累了善行才得到的，来之不易，因而是永恒的。所以不要把人们的赞扬放在心上。

我告诉卡尔，喜欢听人表扬的人必然得忍受别人的中伤。仅仅因为别人的评价而或喜或忧的人是最蠢的。被人中伤而悲观的人固然愚蠢，稍受表扬就忘乎所以的人更是愚蠢的。

不要随便表扬孩子

对于儿子的善行，我会加以表扬。尽管如此，我仍然提醒那些善良的父母们：不要对孩子过多表扬。因为随便表扬，表扬也就失去了作用。

即便卡尔学得非常好，我也只是说到“啊，不错”的程度。当儿子做了善行时，我对他的表达可能会进一步，我会对他说：“好，做得好，上帝一定会高兴。”但不会表扬过头。

当卡尔做了特别大的好事时，我会抱着亲吻他，但这并不是常有的。

我这样做的目的，是想让儿子明白父亲的亲吻对他来说是非常可贵的。通过这种不同程度的表达方式，我让儿子深深懂得：对善行的报答就是善行本身的喜悦，是上帝的嘉奖。

我非常注意不过分地表扬他，就是为了不让他自满。因为孩子一旦自满起来以后就难以纠正了。

我教给卡尔很多知识，但从不教他这是物理学上的知识，那是化学上的知识等等，为的是防止他狂妄自大。

有些父母的想法或许与我不同，他们大多喜欢在众人面前炫耀孩子在这方面或那方面的“与众不同”，这样就很容易使孩子感到自满。我很担心，这种做法很可能把一个未来很有潜质的孩子毁掉。

我认为，没有经过早期教育而靠天赋产生的神童，只不过是一种病态的暂时现象。这样的神童，往往容易夭折。这就是“十岁神童，十五岁才子，过了二十岁是凡人”这一谚语所表达的现像。一些潜质很好的孩子之所以没能如愿地成为栋梁，正是源于孩子的骄傲自满，狂妄自大。

世界上再也没有比骄傲自大更可怕的了。骄傲自大会毁掉英才和天才。

莱恩是一个自幼就表现出某种天赋的孩子，因为他一出生时就让别人感到他灵气逼人、聪明伶俐。人们都说这个孩子一定是个天才，他的将来一定极为辉煌。

有人说："莱恩一定会成为一个伟人，你看他那种机灵的模样，说不定会成为一个伟大的将军。"也有人断定他会成为一个可以令大家引以为荣的艺术家。

这种说法也没有什么错，可是事实并非如此，虽然这个孩子在两岁的时候就表现出超人的天赋，他在音乐方面很有才能。

莱恩的父母为此专门给他请了家庭教师，试图在音乐方面给予他最好的培养。他确实非常聪明，老师教的一切他都能很快地学会。四五岁的时候，他不仅掌握了基本的乐理知识，而且会演奏多种乐器。他的钢琴和小提琴演奏极为出色。并且很快就举办了自己个人的音乐会。

人们都说他是一个音乐神童，是个伟大的天才，就像人们评论那些历史上的伟大音乐家一样。

莱恩的父母把他当成一个宝贝，生活的全部中心都转到了他的身上。他们逢人就夸奖自己的孩子。甚至当着众人的面，说莱恩的音乐水平已经远远地超过了他的老师和其他同时代的音乐家。他们说莱恩注定会成为像巴赫那样的音乐大师。

莱恩被这些过多的赞誉蒙蔽了，他陶醉在沾沾自喜之中。

有一天，他的音乐老师告诉他在音乐表现上存在着很多的不足。虽然他的技巧确实已经相当不错了，但音乐的本身魅力在于内涵而不单单是技巧。

莱恩被激怒了，他狠狠地对老师说："你以为我只会技巧吗？那些音乐的内涵我早已清清楚楚。"

老师说："但我明明发现你有这些问题呀！"

莱恩说："那不是问题，是我故意那样演奏的，我就是那样理解这首曲子的。"

老师为了让他能够明白一些音乐表现方面的东西，开始给他做示范。碰巧老师在演奏的过程中犯了一个小小的错误，这样就被莱恩抓了个正着。

"喂，您都弹错了。我亲爱的老师，就您这样的水平还能够教我吗？"他的语气中带着极大的嘲笑。

老师气愤极了，虽然他认为莱恩是个有才华的孩子，可还是马上辞去了这份工作。尽管莱恩的父母请他原谅孩子的做法，并尽量地挽留他，但他仍然头也不回地离开了。

后来，我曾遇到过这位音乐老师并和他谈起莱恩的事。他告诉我，就在他离开莱恩的那一刻，突然感觉到他以往的判断是错误的，他感觉到莱恩并不是以前想像的那样会成为伟大的音乐家。事实证明，这位音乐老师说对了。

自从老师走后，莱恩越来越得意。因为他自认为是天才，胡乱地改动那些大师的作品，并经常说这些作品不过如此。

他拒绝父母再给他请老师，说那些老师都是不中用的人，根本不配来教他这样的一位百年难遇的才子。

结果是可想而知的。事过多年，我听说莱恩已经变成了一个酒鬼，他愤世忌俗，说人们不理解他这样的天才。

我知道有很多伟大的艺术家在生前或未成名之前很难被人理解。但莱恩决不是那样的人，因为他一生从未写出过美妙的作品，甚至连平庸的作品都没有。而且过度的饮酒摧毁了他的听力和灵巧的手指，恐怕他已经变得连最基

本的音阶都不会演奏了，更不用演奏出美妙的音乐。

在对卡尔的教育中，我担心的正是这一点。我下了很大的功夫就是防止他自满。我把莱恩的事讲给他听，让他明白骄傲自满和狂妄自大会带来多么大的危害。

绝不过多地表扬儿子

在儿子成长的过程中，我不仅自己不过多地表扬他，同时也决不让别人表扬他。

每当别人要表扬卡尔时，我就会把儿子支出屋子不让他听。对那些常常不听忠告仍一味夸赞儿子的人，就谢绝他们到家里来。为此，我甚至被人视为不通人情，是一个老顽固。但是，为了杜绝孩子养成这种不良习惯，我对别人的议论是不会去计较的。

我教育儿子：知识能博得人们的崇敬，善行只能得到上帝的赞誉。世上没有学问的人是很多的，由于他们自己没有知识，所以一见到有知识的人就格外崇敬。然而，人们的赞赏是反复无常的，既容易得到也容易失去，而上帝的赞赏是由于你积累了善行才得到的，来之不易，因而是永恒的。所以不要把人们的赞扬放在心上。

我告诉卡尔，喜欢听人表扬的人必然得忍受别人的中伤。仅仅因为别人的评价而或喜或忧的人是最蠢的。被人中伤而悲观的人固然愚蠢，稍受表扬就忘乎所以的人更是愚蠢的。

我用各种方法来教育卡尔，防止他骄傲自满，尽管这样做要花很大的功夫，但我想最终一定会获得圆满的成功。

世界上大概再没有像我儿子这样被人们所广为赞赏的孩子了。只是由于我的努力，才使儿子未受其害。

有一次哈雷的宗教事务委员塞思博士对我说："你的儿子骄傲吧?"

我说："不，我的儿子一点也不骄傲。"

"这不可能，像那样的神童如果不骄傲，那你的儿子就真不是常人了。他一定会骄傲，骄傲也是自然的。"他不相信，一口咬定卡尔是个骄傲的孩子。

事后，我让他看看我儿子。他和卡尔在一起谈了很多话，经过多次的交谈，他终于完全了解了我的儿子。

塞恩福博士事后对我说："我实在佩服，你儿子一点也不骄傲。你是怎样教育他的呢?"我让儿子站起来，让他把我的教育方法讲给塞恩福博士听。

听后，他服气了，说："的确，如果实行这样的教育，孩子就不可能骄傲了，真是佩服。"

还有一次，有个位于外地的督学官克洛尔先生到格廷根的亲戚家去作客。他在来格廷根之前就已经从报上和人们的传说中知道了卡尔的事，到了亲戚家后知道得就更详细了。因为他的亲戚和我们有密切的来往，非常了解卡尔的情况。克洛尔先生想考考我的儿子。为了得到这一机会，就拜托他的亲戚请我们父子去。

我接受了邀请带着儿子去了。

克洛尔先生提出要考考我的儿子。按照惯例，我也要求他答应我的条件，即："不管考得怎样，决不要表扬我儿子。"

H先生擅长数学，所以他提出主要想考考数学。

我回答说："只要不表扬，考什么都没有关系。"

商量妥当，就把卡尔叫进来，考试开始了。

克洛尔先生先从世故人情考起，然后进入学问领域。卡尔的每个回答都使他感到满意。最后开始了克洛尔先生所擅长的数学考试。

由于卡尔也擅长数学，所以越考越使克洛尔先生感到惊异。每一个题解我儿子都用两、三种方法去完成，也能按照克洛尔先生的要求去解题。到了这一阶段，克洛尔先生已不由自主地开始赞扬他了。

我赶紧给他递眼色，他这才住了口。

但是，考试还未结束，由于他们二人都擅长数学，考着考着就进入了学问的顶峰，并最终走到克洛尔先生难以驾驭的程度。

这时，他竟不由自主地叫了起来："唉呀，他已经超过我了。"

我想，这下坏了。于是立即给现场泼冷水："哪里，哪里，由于这半年儿子在学校里听数学课，所以还记得。"哪想到克洛尔先生兴致不减，又拿出更难的题来考他："你再考虑这道题，这道题欧拉先生考虑了三天才好不容易做出来，如果你能做出来，那就更了不起了。"

听了这话，我开始担心起来。

我并不是怕儿子做不了那么难的题，而是担心如果儿子真的把那道题做了出来，就由此而骄傲起来。

可是，我又不好说"请不要做那道题了"。因为克洛尔先生不太了解我们，怕引起他的误解，以为我害怕儿子做不出那道题才这样说的。

我只好故作镇静地看着。

那道题是一个农夫想把如图所示的那样一块地分给三个儿子，分法是要把它分成三等份，而且每个部分要与整块地形相似。

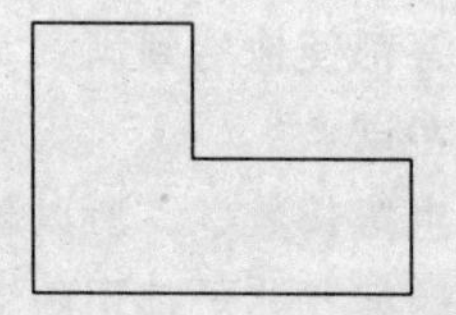

克洛尔先生把问题说明后，就问我儿子有没有听说过，或者是在书上看到过这个题。儿子回答说没有。克洛尔先生说："那么给你时间，你做做看。"

说完，他拉着我的手退到房间里面，对我说："你儿子再聪明，那道题也很难做出来，我是为了让你儿子知道世界上还有这样难的题才给他出的。"

可是，克洛尔先生的话音刚落，就听到儿子喊道："做出来了。"

"不可能。"克洛尔先生说着走了过去。

儿子向他解释说："三个部分是相等的，而且各个部分都与整块很相似，对吗?"

这时，克洛尔先生有些疑惑地说："你是事先知道这个题吧?"

儿子一听就感到委屈，含着眼泪反复声明："不知道，不知道。"

看到这种情况，我再也不能沉默了。

我向克洛尔先生保证："我儿子做的一切，我全都清楚。这个问题的确是第一次遇到，更何况我儿子是从不撒谎的。"

这时，克洛尔先生赞不绝口地说："那么你的儿子已胜过欧拉这个大数学家了。”

我掐了一下他的手，立即说：“瞎鸟有时也能抓到豆，这只是偶然的情况。”

克洛尔先生这才领会我的意图，点着头说：“是的，是的。”然后就附耳小声地对我说：“唉呀！我真佩服你的教育方法。这样的教育，不管你儿子有多大的学问绝不会骄傲。”

儿子也很快同其他人高兴地谈别的事，这一点使克洛尔先生十分喜欢。因为卡尔在这种情况下没有表现出丝毫的骄傲。

我很庆幸对儿子的教育有如此的成效。我曾经无数次地告诫卡尔：**无论怎样聪明，怎样通晓事理，怎样有知识的人，与无所不知、无所不能的上帝相比，只不过是九牛之一毛，沧海之一粟。**只有粟粒大的一点知识就骄傲的人，实际上是很可怜的。奉承话大抵八成是假的。说来可笑，正是这八成是假话的奉承话竟是世之常习。因此，谁要不折不扣地相信这种奉承话，那他就是糊涂虫。

【附注】上述数学题可能有误。图的比例源于英译本。如果没有错误，此题是不成立的，因为无须用数学公式来证明，只要按图做三个纸片互相组合，即可看到，无论怎样组合也决不会得到上图那样的形状。因为这是不可能的。

由于英译本上用的是 similar 一词，其词义也可能不是“要似”，而是更广义的“类似”。但如果是类似，这个问题就很简单了，欧拉也用不着考虑三天了。

这到底是原著的问题，还是英译本的问题不得而知。总之，这个题是有错误的。但是由于这个问题不是为了证明卡尔的学力，而是用以证明卡尔并不骄傲，所以我认为这个例子的错误是无关紧要的。

——译者注

第 13 章

我不让孩子养成不良习惯

除了儿子之外我也接触过不少和他年龄相仿的孩子。我发现几乎任何一种不良行为，孩子都会凭着自己的理解去获得某种自认为的“奖励”。我认为，父母的责任就是要去发现和取消这种“奖励”。

我怎样杜绝孩子产生恶习

由于我对儿子的教育略有一些成绩，很多认识的人、甚至是不认识却慕名而来的父母们时常向我提很多问题：孩子不听话怎么办？孩子成绩不好怎么办？孩子有不良习惯又怎么办？

面对这一大堆问题确实令父母们担心，但我认为只要父母能够仔细地注意观察孩子，尽量站在孩子的立场看问题，那么一切问题都可迎刃而解。

有一位慈祥的母亲对我说，她的儿子脾气暴躁，动不动就发脾气，真不知该怎么管教他。其实，要想让孩子变得有涵养而不粗暴，首先要弄清楚原因。

为什么容易发脾气呢?

我认为，小孩子之所以容易发脾气，是因为孩子的感情比较脆弱，容易被激怒，心中有一种无法遏制的东西，这种东西就是挫折所形成的一种负担。孩子太小，不知该怎么办，只有通过发脾气才可以发泄出来。

孩子发脾气时忘掉了周围的一切，内心被怒火所控制，他感到害怕、痛苦，但是自己控制不了。孩子发脾气时很可怕，好像着魔似的。父母不仅应该充分注意孩子发脾气的问题，还要弄清楚他发脾气的原因并且采取一些可行的方法防范他们发脾气。

我认为，父母应该尽力去安排好孩子的生活，让孩子少受挫折，或者让孩子所受的挫折在能够容忍的限度之内。不要过分地规定孩子做什么事，也不能太过份地强迫孩子不做什么事。严格地教育是应该的，但万事都有个限度，不能让孩子去承受他们极限之外的事。因为这样反而将孩子逼上了死角，他如此就会不知所措，会情绪极差，那自然就会乱发脾气了。不仅是孩子，连成年人也会有无法承受的东西。

当孩子情绪不好时，不要过多地招惹他，在他遇到困难时不要用过激的话刺激他，要等他平静下来之后再去慢慢开导。

如果孩子发了脾气，应该采取相应的办法处理，以免造成更坏的结果。

我在教育儿子和研究别的孩子的过程中逐渐积累了一些经验：当孩子为某事就要发火时，应该转换他的注意力，使他暂时忘记不高兴的事，慢慢地安静下来。父母在这种情况下一定要冷静，不要火上浇油，更不要用简单粗暴的行为加以制止。孩子静下来之后，父母要加倍体贴，好言安抚他。有的孩子发脾气时不准人抱，抱着他就等于火上浇油，那么父母不要硬去抱他，只需收拾好易碎的东西，保护好孩子不受伤就行了。万事都要等他冷静下来后再说。

当孩子正在气头上时，不要直接与他讲理，因为这时他是什么都听不进去和不讲理的。这时，父母更不该向孩子发脾气。发脾气就像传染病，用发脾气的方法制止发脾气是不明智的，这只能使脾气越发越大。

对于孩子的坏脾气，父母不应该去奖励或惩罚，应该让孩子懂得发脾气得不到什么也不会失去什么。例如，孩子因为不想吃饭而发脾气，脾气发完之后，饭还是要吃的，当然父母要给他讲清楚道理。如果平时吃饭后要得到奖励，那么脾气过后吃饭仍旧要奖励。

如果孩子在大庭广众下发脾气，父母一定不能顺从他。很多父母由于害怕孩子当众发脾气而常常顺着孩子，这种做法是极为有害的。因为孩子虽小，但自有他狡猾的一面，他们常常利用父母的弱点发起进攻。父母一定要想办法不要让孩子知道这一点。要做到这一点也不难，如果孩子当着他人提出什么要求，父母最好给予帮助，合理的要求就满足他。如果硬要等到他发脾气再去帮助他，后果就不好了。对孩子的要求要有选择地满足，不合理的要求可间接地答复他，如告诉他回家再说，或对他表示等客人走了再说等等。

孩子发脾气主要是因为自己太弱小，面对问题感觉无能为力。随着孩子一天天长大，他们的能力增加后，日常生活中受到的挫折也就会越来越少。他也会慢慢地变成一个心平气和、通情达理的孩子。

有的孩子很任性，动不动就又哭又闹，使性子，把父母搞得一筹莫展。很多时候，父母只好迁就，我认为这种做法是极端错误的，因为这样孩子就会得寸进尺，越来越任性。

众所周知，父母是最了解孩子的。对于孩子的脾气和性格父母应该最清楚，应该知道孩子在什么情况之下会发生什么样的任性行为。在预料到他要做出任性行为之前，父母应该采取一些预防措施，避免孩子发脾气。比如，孩子吵着要买玩具，但是父母以为没有必要，就应该对孩子说："我去问一个你的姨妈，看你这样大的孩子适不适合买这种玩具，如果她说合适，我再给买。如果不合适，那么就不买了。"事先把不买的可能告诉孩子，孩子会进行自我调节，做好心理准备，这样就可以防止任性的发生。

在卡尔的成长过程中，我非常注意观察他内心世界的变化，目的在于养成他良好的性格。从一开始，我就注重用各种方式培养他的品性，因为一个人的成功与否不光是他的学识和能力，性格往往是决定成败关键因素。

在卡尔3岁时，我的一位亲戚来我家作客，他带来了自己的小女儿，也就是卡尔的小表妹。起初两个孩子在一起相处得非常好，由于他们年龄相差不大，又是早已听说过的兄妹，所以在一起极为投缘。可是，在一起呆了两三天，他们之间就开始产生矛盾了。

有一天他们在外面的院子里玩，卡尔正在用那些木块搭建房屋，小妹妹也在兴致勃勃地给他帮忙。

卡尔像一位工程师，指挥他的表妹做这做那。开始一切都很正常，可是后来小表妹就不听他的话了。她非要把一块圆形的木块放在卡尔没有指定的地方。他们在外面僵持了很久。小妹妹把木块放上去后，卡尔一定要把它拿下来，但小妹妹偏不妥协又重新把它放上去。这样你来我往的不知多少次，最后终于开始争吵起来了。

我和亲戚听见他们的争吵，赶忙跑了出去。

卡尔怒气冲冲地坐在地上，而小表妹在那儿哭，哭得非常伤心。

“怎么啦，卡尔?”我严厉地责问他。

“她不听话。”卡尔说道。

当我弄清楚是怎么回事后开始开导卡尔：“卡尔，你比妹妹大，就应该让着她。那块圆形木块放在那儿不是挺好吗?”

“不，那样不好看。”儿子坚持道。他说完就冲过去一脚把还未做完的搭建小房屋踢翻，然后头也不回地向房间快步走去。

儿子的做法让我感到吃惊，我还从未发现他有这么任性，也从没见过他发这么大的脾气。

面对这样的情况，我并没有发怒，也没有立即去理会儿子，而是把坐在地下哭的小侄女抱了起来。

晚上吃饭的时候，我特意把儿子和小侄女安排坐在一起。

“儿子，你今天怎么那样对待妹妹呢?”我问卡尔。

“我又没有对他不好，只是为了她不听我的话而气愤。”

“为什么她一定就要听你的话呢?”我问。

“因为她不懂，而我很精通搭建筑。”儿子回答。

“妹妹在搭房子时捣乱了吗?”我问。

“没有。可是我认为那块圆形木块放在那儿不好看。”儿子回答。

“可是你想过妹妹为什么要那样做吗?”我问。

“没有。”

“我认为，妹妹所以那样做是因为她觉得那样好看。”

“可是……”

“卡尔，你平时一个人搭建筑的时候，我们都没有管你，是要你独自发挥想像力。可是今天不同了，既然妹妹了在参与这件事，你为什么不能给她发挥想像力的机会呢!”

“我……”

“今天你和妹妹在一起，不仅应该玩得很高兴，还要充分发挥你们两个人的能力去把房子搭得更好。你要记住，一个人的能力是有限的，要想把事情做得完美，就要集合很多人的力量。妹妹有些地方不会，你应该耐心地教她，而不是任性地胡闹。你想想，如果你有什么地方不懂，而我不耐心地指导你却给你发脾气，会有什么后果呢?”

我说完后，卡尔一言不发。但我知道他已经明白了我的意思。

第二天，卡尔和小表妹又在一起愉快地玩耍，并且他们合力搭起了一座极为壮观的“宫殿”。

不少父母看着孩子一天天长大，却发现他们在一天天变坏，而且是越大越不听父母的话。这虽然是孩子一天天变得独立的表现，但是如果管教不力，就很容易形成各种各样的不良习惯，甚至“恶习”。

当儿子有了“恶习”时

孩子毕竟是孩子，在他们成长过程中不可避免地会产生各种不良习惯。因为他们太小，对事物的判断及对事情的处理上都显得能力有限。作为人之父母应该首先注意这个问题，不能把孩子的“恶习”与成人的恶习相提并论，因为孩子的“恶习”还不具备成人恶习的性质和危害。比如说，当一个孩子说“我恨死你了”的时候，就和成人说“我恨死你了”不是一个概念。父母在面对这些的时候，应该多从孩子的立场出发，多去考虑一下孩子说话、做事的动机，以免小题大作，弄假成真。

有的父母认为，只有在大庭广众之下教训孩子才会树立父母的权威，令孩子口服心服。我认为这种做法极端错误。因为这种做法直接的危害就是伤了孩子的自尊心。

我在对卡尔的教育上，从来不采取当众训斥的办法，因为对孩子的教育应该建立在不伤害他自尊心的基础上。否则，不但不会在某一问题上帮助孩子，反而会使他向相反的方面发展。

自尊是一个人的基本需求，自尊心受到伤害所造成的身心危害是难以估量的，对幼小的孩子来说，尽管他不完全懂事，但自尊心多次受到伤害，会对他的性格乃至整个心理的健康成长造成深远的影响。孩子的自尊心就像一朵娇嫩的花朵，只要稍不留意就可能受到伤害，进而产生难以预料的后果。所以，我无论在对卡尔的教育上，或与其他父母谈论教育孩子时，都一再强调要尽力去保护孩子的自尊心。

我认为，父母教育孩子时必须维护孩子的荣誉感。任何人都需要得到别人的肯定和赞扬，这是人之常情。孩子在这方面表现出来的欲求往往比成年人更加强烈。对于孩子来说，得到别人，特别是父母的承认，对孩子的心理健康发展具有重要意义。一个失去了自尊心和荣誉感的孩子是很可怕也是最难教育的。如果当着众人，特别是孩子的小伙伴面前数落孩子，会让他感到面子尽失，羞愧难当。这非常容易使他在伙伴面前感到自惭，经常自觉低人一等，也会成为其他孩子羞辱他的把柄，久而久之会形成不良的心理障碍，影响孩子的健康成长。所以，我一直强调，对孩子的不足之处，要讲究用适当的方法去细心教导，要掌握合理的时间，一定不要简单蛮横，不能以成年人单方面的思维去对待孩子。

在对卡尔的教育过程中，无论是他做了好事或坏事，我都竭力做到心平气和，用一种平静的心态去对待他，因为教育孩子是一个最需要耐心的工作。我极力反对那些动不动就怒火冲天、对孩子责打频繁的父母。这些父母的方法只能把孩子吓得浑身发抖，只能在表面上看起来管住了孩子，实际上什么问题也没有解决。用心平气和的状态去处理有关孩子的问题，是一种最好的方法。这样，父母在孩子面前既有威严却不显得无理，既和蔼却不显得不严肃。

卡尔也会做错事。每当面对这种情况时，我不会像其他父母那样总是使用“不准这样”、“不要这样”、“不行”这些消极的、否定的词语，因为这些语言容易使孩子觉得自己一无是处，会增加他的消极情绪。我总是用积极的、肯定性的语言，给儿子以明确的行为指导，增加他的积极情绪。以我的经验，这样做往往会收到较好的效果。或许儿子在我这里听得最多的话就是“这样做”，“努力去做”这些积极的、带有鼓励性的语言吧。

很多父母认为，为了防止孩子养成不良习惯就要对孩子了如指掌。其实这种想法也不完全正确。孩子都有自己的秘密，大孩子有，小孩子也有。许多父母都是不注意这一点，要么认为小孩子没有什么秘密，要么就是千方百计地挖掘孩子的秘密。这种想法和做法都是不正确的。孩子自有孩子的秘密，只是在大人看来算不上秘密而已。孩子是非常幼稚的，他们心目中那种秘而不宣的东西就是秘密。父母不应该时刻窥探，不要对此过多地追问，更不要干涉，特别是对健康合理的、无害的秘密。这样，哪怕是两三岁的孩子也会更加信任父母，与父母更加亲密。有了这种信任和亲密，孩子可能会把他们的秘密告诉父母。如果父母一味追问，孩子得不到父母应有的尊重、信任，孩子会感到他没有地位，就会心灰意冷，逐渐失去积极性，甚至会很小就关闭自己的心灵大门。当然尊重孩子的秘密，并不等于对此不管不问，而是要求父母时时刻刻关注孩子的内心世界，健康地加以引导，不健康的则应在充分尊重和理解孩子的前提下，去关心和引导他。

在卡尔犯错误时，我总以最简单的方式让他明白道理，而不是长篇大论和喋喋不休。在教育儿子的过程中，我发现长话短说、要求明确、大度和气往往会达到令人满意的效果。

我从来没有打过儿子，因为那是一种粗暴的行为，是我厌恶的。很多父母用体罚的手段去管教孩子，效果往往是短暂的，他们不仅责打孩子，还说一些非常伤人的话，“不要你了，滚！”“你太蠢了！”“你不可救药！”等，这些都会对孩子产生很多不良影响。

什么才是有效的

对于孩子来说，能够得到父母有效的管教是非常有利于他们健康成长的。有些父母对孩子的管教仅仅停留在管住孩子上，让孩子循规蹈距，没有活力，没有创造性。这种办法根本不能让孩子健康的发展。在我看来，这种管法还不如不管。也有些父母因为顾及孩子的自尊心而不去教育孩子，这也是错误的做法。

在对卡尔的教育和管束上，我竭力做到既有效制止他的不良行为，又尽量减小或不产生负面影响。我认为这是管理孩子要遵循的最基本的原则。

除了儿子之外我也接触过不少和他年龄相仿的孩子。我发现几乎任何一种不良行为，孩子都会凭着自己的理解去获得某种自以为是的“奖励”。我认为，父母的责任就是要去发现和取消这种“奖励”。

我的一位朋友有两个孩子，他的儿子是一个非常调皮的孩子，处处都让人感觉到他的与众不同，经常干些令人心烦的事。经常欺负妹妹和别的小伙伴。

有一天，我的这位朋友找到我，想让我给他提供了一些管教孩子的办法。

他对我说：“我的儿子真令人讨厌，他不仅喜欢嘲弄别人，连吃面包也与其他孩子不同。他明明知道我讨厌他的某些行为，可他偏偏那么做，好像是专门在气我。”

听了他说的话，我感到很奇怪。这孩子连吃面包都会惹父亲生气，恐怕也有些太与众不同了吧。于是，我要求去看看这个孩子。

那天我和朋友一家共进午餐。在饭桌上，我特意仔细观察这个调皮的孩子。

我发现，这个孩子在吃面包的时候，把面包皮细心地剥下来，然后用手把它捏成一个球形吃掉，而把剩下的部分丢在盘子里。与此同时还得意洋洋地对他母亲说：“妈妈，我把面包皮剥下来了！”

于是，他的母亲开始训斥他：“你怎么总是这样，居然还当着客人的面。”这时，他的父亲似乎也要发怒了。

我给朋友使了一个眼色，示意他不要发怒。饭后我给他讲了一个“对付”孩子的办法。

第二次，这个孩子故技重施，像往常那样把面包皮剥下来后，也对母亲说：“妈妈，我把面包皮剥下来了。”可是她的母亲只说了一声，“我知道。”

孩子说：“你不说我吗？”

“不说。”

没过多久，我的那位朋友又找到了我，说孩子现在已经没有剥面包皮的习惯，也和其他人用一样的方法吃面包了。他觉得很奇怪，问我是什么原因。

其实道理很简单，孩子的那种做法就是为了引起别人的注意，即使被父母责骂，他也会觉得受了重视。在他眼里，父母的责骂就是一种奖励，而他的做法了就是为了这种奖赏。后来，父母对他的这一举动不闻不问，毫不关心，他自己也渐渐觉得没趣了，所以在不知不觉中改掉了坏习惯。

还有一个小男孩，染上了说粗话的习惯。因为他的一个小伙伴爱说“屁股”两个字，他学会了带回家里。由于这两个字不是什么风雅的词，他的母亲觉得很讨厌，很快就加以制止。可是相反，孩子不但没有停止说这两个字，还一连几个星期编造出不少关于“屁股”的话，说什么“天上有个屁股”，“屁股点心”，“甜屁股”等等。他的母亲气得不行，最后干脆懒得理他。后来孩子发现这样说已经不能引起父母的注意，也就慢慢地不说了。

这是因为孩子起初说的粗话得到了旁人的奖赏而反复地说，后来没有了鼓励就不说了，曾经使他颇感兴趣的粗话也就渐渐地被遗忘掉。

孩子在成长的过程中，可能会出现各种各样的坏习惯，有的是任性、自大，有的时刻都不忘记表现自己，有的爱捉弄人，有的甚至以自己的行为危害他人、损坏财物。面对这许多问题，父母应该采取不同的办法去加以解决，以达到最好的效果。

卡尔小的时候喜欢在墙上乱画，虽然我给他买了学习绘画的用具，但他仍然克制不住自己的这一癖好，总是趁我不注意时偷偷地用笔在墙上涂抹。

有一次，正当他在墙上画得高兴的时候，被我抓了个正着。

“卡尔，你在做什么?”我立刻制止了他。

卡尔迅速地转过身，把笔藏在了身后，并用身体拦住了刚刚涂抹的东西。

我当时并没有给他讲道理，也没有训斥他，只是制止他再那样干下去，并让他独自一人到他自己的房间里呆一会儿。

过了一阵，我把他叫出来，并询问他为什么要在墙上画。

他说："爸爸，我知道错了。因为我刚才在房间中想了很久，我想我的行为破坏了墙壁的清洁。其实我有画画的纸张，我应该在纸上画画而不是在墙上画。你曾经给我讲过不能随便弄脏东西的道理，所以我犯错误是不应该的，请您惩罚我吧。"

我并没有惩罚卡尔，叫他去房间一个人呆一会儿的目的就是让他自己想清楚这个道理。因为孩子有时在做某件事时，纯粹是一时兴起，他可能也懂得这些道理，只是一时管不住自己。如果我当场就去训斥他，或把那些讲过多次的道理再给他讲一次，一定不会有这样好的效果。孩子自己从内心里真正认识到了错误，这样的印象就会留得很深，也就会减少他再犯错误。

我这样做，只是为了让他无聊而乏味地单独呆一会儿，这不算是一种惩罚的方法。他一个人呆着的时候，做什么事都没有关系，只是让他把刚才在墙上画的那股劲冷下来。如果他能在房间里对自己的行为有所反思，那就再好不过了。

我认为，这种方法可以适用于很多情况。比如，当两个孩子发生争执或打架时，一般来说都会互相告状，争论不休。父母只要让他们停下来，把他们分开让他们各自单独呆一会儿，可能什么问题都能得到轻松地解决。因为孩子之间不可能有什么深仇大恨，只是在一时气头上发生争执罢了。如果父母不是这样将他们分开而是去给他们讲道理，那么会更加深他们之间的矛盾，带来更多的麻烦。

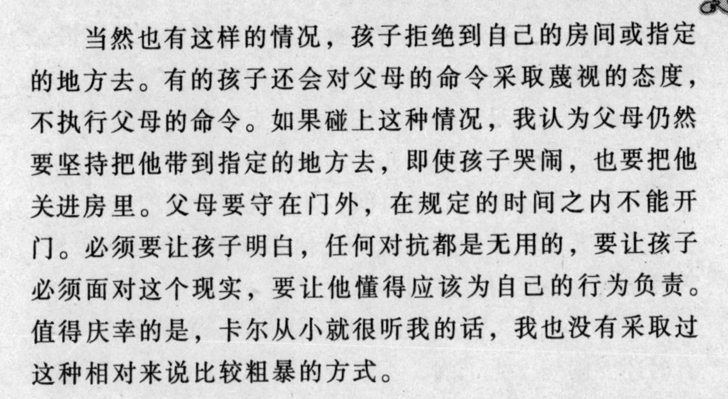

当然也有这样的情况，孩子拒绝到自己的房间或指定的地方去。有的孩子还会对父母的命令采取蔑视的态度，不执行父母的命令。如果碰上这种情况，我认为父母仍然要坚持把他带到指定的地方去，即使孩子哭闹，也要把他关进房里。父母要守在门外，在规定的时间之内不能开门。必须要让孩子明白，任何对抗都是无用的，要让孩子必须面对这个现实，要让他懂得应该为自己的行为负责。值得庆幸的是，卡尔从小就很听我的话，我也没有采取过这种相对来说比较粗暴的方式。

为什么贪吃

由于父母过于溺爱孩子，无规律无限制地让孩子进食，从而使孩子的食欲紊乱，以致使孩子的精力仅仅用于消化，大脑得不到很好的发展。

在这样不合理的状态之中，即便实施了早期教育或其它什么教育，也是白费。很多父母用他们如此之“爱心”对待孩子，在我看来是一种愚蠢透顶的做法，他们的“爱心”实际上是害了孩子。

我认为，不理智的饮食会对孩子产生许多负面影响，却没有引起很多父母的注意，实际上，这是一个在我们身边很严重的问题。我见到过很多孩子，他们往往不知饥饱，吃得过多而生病。

贪吃的习惯并非是孩子的天性，而是由于父母的无知和纵容造成的。在大多数父母的头脑中，只想到为了加速孩子的成长。使自己的孩子身体变得很强壮，就拼命对他们加强营养，只要听说有什么食品能强身健体，就不惜一切地为孩子买，毫无节制地灌进孩子的胃里。

我和儿子的母亲都非常注意这一点，我们严禁儿子随便吃点心、零食。为了给儿子加强营养，我与他的母亲对儿子规定有固定吃点心的时间，并对此有合理的安排。

为了儿子的健康，也为了让他不要养成贪吃的习惯，我时常对他讲吃得过多的害处。

我告诉他："人吃得过多脑袋就发笨，心情就会变坏，有时还要闹病。生了病，不仅苦恼和难受，而且也不能学习和玩耍了。不仅如此，你一得病，爸爸妈妈为了照顾你，好多事也不能做了，就是说你一个人病了，会给许多人带来麻烦。"

为了让卡尔懂得身体健康及饮食合理的重要性，我在凡有朋友的孩子生病的时候，都会带他去探望，让他有更为直接的体会，这对他是一种很实际的教育。

有一次我带着儿子散步，遇见了一个朋友的儿子。

"你家里人都好吗?"我首先问候道。

"谢谢，都好。"他说。

"但是，你弟弟病了吧?"

"是的，您是怎么知道的呢?"他惊讶地说。

"我知道，因为圣诞节刚过。"

我并不是胡猜。因为我知道那孩子特别贪吃，圣诞节过后准会闹病的。

果然不出所料，于是我就带着儿子去探望。到那儿一看，那孩子不喊肚痛，不喊头痛，只是叫个不停。

在谈话中，我问明了孩子的病因，正如我所预料的那样，是由于吃多了。

在这种场合，我与对方谈话，总是注意到要使坐在旁边的儿子能了解事情的真相。

为了让卡尔不在饮食问题上受到损害，我特别注意培养他的饮食习惯。在吃饭之时，尽力让他愉快地进餐。

我认为，让孩子愉快进食有利于增进孩子身心的各方面发展。

对孩子来说，食物不应该是一种款待，也不应该是一种义务，千万不能用食物贿赂他，也不要用不让他吃来惩罚他。父母完全没有必要去浪费时间和精力把食物当做奖励、惩罚或威胁的手段来调教孩子。重要的是把管教孩子和食物分开，给孩子营造一种和谐轻松的进食气氛和环境，让孩子独立自主，轻松愉快地进食。

很多父母总是担心孩子吃得太少或者害怕孩子不会吃，就餐时如临大敌，全副精力对付孩子，这不行，那不对，挑这样，拣那样，无形中给孩子造成一种压力。久而久之，孩子把吃饭当成一种负担，这不仅给孩子进食带来影响，还会给父母带来多余的麻烦。

父母们应该知道，只要向孩子提供足够的食物，完全可以确信他绝不会挨饿。只要孩子不太贪吃，就应该让他觉得吃东西是一件重要和愉快的事情，一件自己想做和能做的轻松自然的事情。但应该注意，不能让孩子觉得吃就是惟一的乐趣，千万不能让他养成贪吃的习惯。

孩子那种“有机会就吃”的情况，不是出于天性，更多的是由于父母给他创造了过多“吃的机会”。

卡尔基本上没有因为吃多了而伤害了胃。到朋友家里，主人总是要热情地拿出点心之类来款待。但不管是多么好的点心，都难以让卡尔动心，他是坚决不吃的。

朋友们看到儿子的反应，认为这不是孩子的真心，可能是我管教过于严格的结果。但事实并非如此，完全是儿子自愿的，因为他已养成了良好的饮食习惯。

朋友们之所以那样说，是因为他们在用自己和自己孩子的标准来衡量卡尔，他们无法理解我儿子的自制能力。

其实，这没有什么难的，只要从小经常做这方面的健康教育，孩子们就会很容易地像我儿子那样做到。

贪吃使人愚笨

胃过于疲劳会使大脑功能减弱，所以贪吃会使人蠢笨。我时常将这一观点讲给儿子和周围的人们听。其实，不仅是我，历史上的很多伟大的人物都非常注意这一点，特别是那些积极用脑的大思想家、哲人，更是这样。

哥罗德是我们这一带有名的小胖子。据说他的食量很大，在他很小的时候，就能和大人吃一样多的东西。每天除了正常的用餐外，还要不停地吃很多零食。

我曾经问过他的父母，孩子怎么从小就长得那么胖。本来我是个不爱打听别人的事的人，可是每当看到哥罗德那种胖乎乎甚至走路都有点困难的样子，在我的脑子中总会出现这个问题。

为了培养好自己的儿子，我也经常询问一下别人是怎样培育孩子的，这样或许还会改进一下我的教育方法。

歌罗德的父亲告诉我，因为他和妻子一直没有孩子，等到年龄很大的时候才有了哥罗德，所以加倍地疼爱他。特别是他的母亲，更是把儿子当成自己的心肝宝贝。

他们给儿子吃最好的东西，穿最好的衣服，可以说对儿子百依百顺，千般迁就。只要儿子想吃的东西，他们都要绞尽脑汁地给儿子弄到。

哥罗德的父母都是体形较瘦的人，他们对儿子长得如此之胖也有些感到不愉快。但他们只是在从儿子的外形看问题，只是觉得儿子长得太胖有些难看罢了。他们没有考虑过肥胖已经成了孩子的负担。

哥罗德由于长得胖，被同伴们称作“小胖子”，他行动缓慢笨拙，几乎无法和别的孩子一块玩，甚至还有的孩子欺负他。每当受欺负后回家哭闹时，他的父母解决问题的惟一办法，还是吃。他们以为在儿子身上，只要给他吃喝好，问题自然解决。

哥罗德由于太爱吃东西，以至于他在看书和学习时也要拿一些点心在手中。我也问过他的父母，孩子的学习怎么样。他们只能一边摇头，一边叹气。

每当哥罗德学习不专心时，他的父母就会给他一块糖果和点心。他们认为这样就会让儿子用心读书，其实他们的做法简直大错特错。因为这样不仅干扰了孩子的学习，也让他形成了一种极坏的心理，他不会认为学习好了才会有奖赏，反而会以为只要我不学习就会有好吃的。

哥罗德比我儿子卡尔还要大两岁，但他在学习上与卡尔比简直是天壤之别。

歌罗德为什么会这样呢？我认为这完全应归罪于他愚蠢的父母，他们不懂得去怎样教育孩子，以为孩子仅仅需要吃喝，根本就没有从小去培养孩子各方面的潜能。

这样愚蠢的父母只能培养出愚不可及的孩子。

第 14 章

教儿子具备良好的心理系质

替孩子做太多的事，会使孩子失去实践和锻炼的机会。这是显而易见的。不仅如此，更严重的是过分地为孩子做事，实际上等于告诉孩子他什么也不会做，是个低能儿，他必须依靠父母，否则就不能生活。这种环境中长大的孩子，一旦走上社会便会无所适从，会到处寻找帮助，然而家庭之外是找不到父母式的照顾的，独立意识更无从谈起，这实际上是害了他们。

勇　气

勇气，是一个人积极进取的动力。

我在儿子的教育中，把对他勇气的开发和培养作为一项重要的内容。现在儿子的心目中形成了这样的概念：勇敢和坚忍是受人尊重的，懦弱和胆小是被人瞧不起的。

担心孩子受到意外伤害，是每一个做父母的人经常虑及的事。我想，如果仅仅担心孩子的安危，过分地强调危险性，为防万一而牺牲了孩子接受锻炼的机会，这样，孩子得不到锻炼，勇气也就无从培养。

我认为，父母这样做是自私的表现。他们当然是担心自己的孩子受伤害，而深层次上的事实是万一孩子受到伤害，自己的感情会受到更大的伤害。

这种表现实际上是父母的一种自我保护。可以这样说，要锻炼孩子的勇气，实际是对父母自身勇气的一个考验。

卡尔从小就明白勇气的价值。

有一次，他和别的孩子一起做游戏。不小心手指被同伴弄出了血，疼痛异常，实在令他难以忍受。但他在心里告诫自己，一定要忍住。最后，他强忍住快要流出的眼泪，装出一副若无其事的样子，和同伴们继续玩耍。

后来，卡尔告诉我，他不能让同伴看到他的软弱，一旦眼泪掉下来，同伴会瞧不起他，也许从此不再和他一起玩了。

我一直注意对儿子勇气的培养，也非常欣赏那些力求让孩子变得勇敢的父母。英国人在这方面做得比较好。他们的小学生有所谓的童子军，经常组织小学生探险，在险恶的环境中生存，目的十分明确，就是为了锻炼孩子的勇气和探索新鲜事物的热情，以及在艰苦的环境下生存的本领。

某些成年人看来是危险的事情，认为不适合孩子们做的，实际上孩子是可以胜任的，只是父母出于爱心或对孩子的能力缺乏正确的认识，导致阻止孩子去探索新的事物，熟悉新环境，剥夺了孩子锻炼自身的机会。我一直认为，受到过多呵护长大的孩子，自然会具有缺乏勇气的弱点，对他的人生会有不良的影响。

一个人是否具有勇气和自信心，是他能否获得你成功的重要因素。我时常对卡尔说："你能行!"这就是要鼓励他充满自信，让他有勇气去做一切他想做的事。

尤其在处境困难的时候，自信心显得特别重要，而是否有勇气往往决定事情的成败。在卡尔小时候，我和他的母亲都不会主动替他做事，哪怕是那些对他来说有些难的事情。这就是为了培养他敢于面对挑战的勇气，从而增强他独立做事的能力。

我认为，父母对孩子的过分保护会使孩子失去自信和勇气，久而久之，孩子会产生强烈的依赖心理，并认为自己不能做什么，没有力量。

我在对儿子的关心上是非常有分寸的，从不过分地呵护他，而是培养他在各方面都具有独力的能力。要知道，日常生活中的意外伤害是随时随地存在的，有些磕磕碰碰的事情是不可避免的。对孩子来说，有些时候应该不逃避各种危险，学会去面对、去忍受，因为长大之后的生活环境需要忍受的东西更多。所以从小培养孩子的自信、独立和勇敢的精神是为了他日后更好地工作、生活。

我可以肯定地说，一个碰伤的膝盖是容易治愈的，而受了伤的自信心和没被开发出来的勇气是终身难以实现其真正的作用的。

父母不必事事包办，许多事情孩子自己完全可以做得很好，这一点非常重要。放心地让孩子做自己的事，让孩子认识到"我能行"，能够培养出孩子的自信和勇气。

很多父母在教育孩子时最容易犯的错误就是事先假定孩子什么也做不好，什么也不用做，所以事事都会阻止他们自己干，都要替他们代劳。殊不知，这样的结果孩子慢慢地对自己失去信心，失去了自己努力去探索、去追求、去锻炼自己的自觉性。这样，父母们也忘记了只有通过各种锻炼和磨炼才能使孩子成为一个有用的人的道理。

对于卡尔的教育，我一直在努力避免这样一种先入为主的错误观念，用激励的办法去促使孩子主动做事，在行动的过程中而不是以年龄划线去阻止孩子做某件事情。

“你能做好”，是我对儿子教育首先预定的一个前提。我认为孩子和大人一样能把事情做好，孩子随时随地都应该学习生活的本领，尽管他可以学不好或做错事情。但其中的道理和大人学习做事一样，有成功也有失败，不能因失败而影响孩子发现自身的价值，关键之处在于孩子是否敢于失败，敢于面对失败，同时他们的自信和勇气不要受到影响。

我时常鼓励卡尔主动做事情，既不打击他，也不过分表扬，因为过分的表扬容易使孩子产生骄傲的情绪。这种观点我曾多次提到。

其实，孩子有时也很反感父母过分的保护。有个孩子曾对我说：“我期望父母不要总是事无巨细地过问，总是过于细致地表现出关心，这样会使我在伙伴面前没面子，好像我是个无能儿。其它小朋友能做的，我却不能做，这是多么的不公平！”

不难看出，父母越是怕孩子冒险，去阻止孩子做事，孩子越是反感，内心感到失衡，有时会产生逆反心理，执拗地去做父母不让他做的一切事情。

在锻炼孩子勇气方面，英国人的做法是值得我们学习的。我听说过这样的事：英国西南部的瓦伊河畔，有一所由少年探险组织建立的河流探险训练中心，专门为孩子们提供进行探险活动的机会，以训练他们的勇气和坚强的意志。

在这里，孩子们每天一早就来到河边，由专门的人负责教他们游泳和划船。训练是艰苦而紧张的，每一次练习都有孩子落水，也有些人受伤。在激流中拼搏，需要具有坚强的意志和勇气。孩子们在这里不仅仅学习了划船等技术，更重要的是锻炼了他们的意志，培养出勇敢的精神，同时也懂得了互相互爱和团结合作。

在英国很多地方都有类似的活动，目的不是为了学习某种技巧，而是为了锻炼孩子的意志和勇敢精神，为以后的工作和生活做好各方面的准备。

我认为，英国人的这种做法是值得提倡和推广的。

独立意识

我反复地强调，孩子自己能做的事，就让他自己去做，千万别替他去做。这是一个很重要的准则。我对儿子的教育，一直是按照这个准则去做的。

替孩子做他们能做的事，是对他们积极性的最大打击，因为这样会使他们失去实践的机会，这样就等于在对他们说："我不相信你的能力、勇气。"

如此一来，孩子会感到危机、不安全。安全感是建立在能够用自己的能力去对付要处理的问题的基础上。如果孩子不自信，那来安全感呢？

有个孩子的父亲去世了。他的母亲倍加疼爱他。当孩子4岁时，母亲还是整天喂他吃饭，给他穿衣穿鞋。当他长得再大一些的时候，他仍然不会自己吃饭，不会自己扣衣服上的纽扣，也不会穿鞋。而和他同龄的孩子做这些小事都做得很好，相比之下，他显得手忙脚乱，而且很可怜。有人告诉他的母亲，让他学习自己去做这些事情，因为像他这么大的孩子应该学会穿鞋戴帽。可是他的母亲却说："我爱我的儿子，他现在是我的一切，我宁愿为他做出更多的牺牲。"

这位好母亲并不知道，她这样做对孩子的发育是有害的。实际上，她对儿子的爱是对儿子的可怜。她认为她是一个好母亲，她把自己的一切都贡献给了孩子，却不知道她的做法实际是在告诉儿子：你是无能为力的，没用的，不行的。这种超常或过分的爱引起的负效应是很多的。孩子产生了极强的依赖性，他可以什么都不干，不想学习做什么事情，只顾自己玩耍。而有一天妈妈不再这样照顾他，便会有失落感。

母亲这样的无私行为实际上是自私的，因为她忽略了儿子本身成长发展的需要。

等孩子长大之后，这位母亲还是一如既往，不断地替他做事情。孩子这不会做，那不愿学，更使他感到自己不如别人，甚至认为自己是一个无能的人，没有勇气和同学们在一起。

这样的孩子，他将面临一个陌生的世界，毫无准备。

我们要是替孩子们做他们自己能做的事，我们就是告诉孩子，我们比他们强，比他们灵活，能力比他们大，比他们有经验，比他们重要。我们显示我们的伟大，他们的渺小。如此教育成长的孩子，人高体大，仪表堂堂，却是畏畏缩缩，缺乏勇气与能力。他们失去了独立的能力，怎么能有一个美好的将来呢？

卡尔的母亲在培养儿子自己做自己的事上表现得很好。

当卡尔应该学会自己穿衣服的时候，她就开始让他自己尝试，并不是替他穿好了事。她一边指导示范，一边看着他自己穿好。她不催促他快点，而是慢慢地说："你可以自己穿上，慢慢来，不行妈妈再帮你。你忘了，你已是一个大孩子了。"如果卡尔还坚持他不能自己穿，她也并不理会这些，继续鼓励他："你肯定能自己穿上。妈妈闭着眼睛数十下，看你能不能穿上。"这时卡尔可能继续下去，也可能开始哭起来，不再做任何努力。母亲这时就不再理他，当卡尔发现他的哭闹并不能引起母亲的同情时，他愿继续尝试靠自己解决自己的问题。事实证明，卡尔很快就学会了自己穿衣服。

我和卡尔的母亲就是从这些小事上开始培养儿子的独立意识的。

在德国古代的时候，儿童就被当作独立的成人来对待。贵族们往往让自己的孩子离家到另一个城堡的其它贵族那里进行学习怎样作真正的骑士。他们认为就是在离家独立成长的过程中，可以使孩子具备一个骑士所应有的素质和知识。可见，对孩子独立意识的重视，是我们民族的一个优良的传统，这对我们民族和国家发展何等重要。

其实，注意考虑到了孩子作为一个未成年人的能力范围和性格特点，但是放手让孩子去锻炼去挑战困难，以培养孩子自立自强的品质，这种传统意识至今并未遭到摒弃，我们周围有很多父母甚至认为这是比传授孩子知识更重要的职责。这种做法应该得到极力推崇。我也是这样教育卡尔的。

孩子在感到不安和无能的时候，会习惯本能式地到父母那里寻求慰藉，他们知道父母的爱会给自己以温暖与支持。因此为了确保可以一直获得这种舒适的感觉，有些孩子一直把情感的支点靠在父母身上。而这些人在交出了自己情感领地的独立权的同时，也就不得不接受他人对自己的情绪支配。

一些在此方面有心理障碍的人，情绪上通常高度依赖别人。因为他们没有自我感，自己不能为自己创造心理上的满足。为了支持自我以及在思想、价值和行为上，他们都依靠别人。他们按照父母或其他权威者的样式思考和行动。他们的自我感实际上是他人的反映，而由于他们精神世界的寄生性，所以当他们依赖的权威体系一旦坍塌，他们通常会陷入一种绝望而危险的境地。

我认为，真正具有独立精神的人对自我意识有一种强烈的需要，他们不借助这样那样的依赖就形成自己的意向，作出他们自己的决定，自我实现的方向指引着他们履行自己的动机和纪律。“伟大的人们立定志向来满足他们自己，而不是满足别人。”

由于这类依赖意识相对而言更具隐蔽性，所以就对父母提出了更高层次的要求。父母必须追问自己对孩子的爱当中是否有这样的成分：固然知道应该让孩子独立，但由于害怕失去孩子，而总希望孩子生活在他们为孩子所设想安排的状态里。

替孩子做太多的事，会使孩子失去实践和锻炼的机会。这是显而易见的。不仅如此，更严重的是过分地为孩

子做事，实际上等于告诉孩子他什么也不会做，是个低能儿，他必须依靠父母，否则就不能生活。这种环境中长大的孩子，一旦走上社会便会无所适从，会到处寻找帮助，然而家庭之外是找不到父母式的照顾的，独立意识更无从谈起，这实际上是害了他们。

我在对卡尔的教育中，十分注意对他独立精神的培养。儿子刚出生还是婴儿的时候就往往单独睡在摇篮中，而不是母亲的怀抱里。儿子的哺乳时间有严格的规定，如果不到规定的时间，即使他怎样哭闹，他母亲也不会随便喂奶。

有人认为这种行为有些残酷。实际上从幼年开始教育训练孩子的独立精神是十分必要的。其实，无微不至的关怀往往会造成孩子能力低下，同时也不为孩子全部接受。进入少年的孩子经常与父母发生冲突，有许多情况是对父母关怀他们的一种反抗。他们不愿让别人看到自己是个无能无用的人。他们需要在人们面前显示自己的存在，显示自己的能力，父母的包办自然造成他们的反抗。

磨炼儿子的心理承受力

从一个人成长的一般规律看，逆境、挫折的情境更容易磨砺意志，顺境当然可出人才，逆境更可出人才。在逆境中经过挫折千锤百炼成长起来的人更具有生存力和更强的竞争力。因为，逆境中奋斗的人既有失败的教训又有成功的经验，更趋成熟。他们能把挫折看成一种财富，深谙只有失败才可能成功，成功是建立在失败的基础上的，因此更具有笑对挫折、迎难而上的风范。

要想让孩子具备能够勇敢面对挫折的能力，必须从小磨炼他们的心理承受力。

挫折，简言之就是遇到困难，或者失败。挫折就是这种困难或失败在心理上的感受。当然这种感觉是不好过的，因为它使你的需要得不到满足，或者难以得到满足。然而对不同的人而言，确切地说是对意志品质不同的人来说，挫折的意义极为不同。

我时常告诫儿子，人的一生要遇到很多困难和挫折，但他必须成为一个坚强的人。我告诉卡尔，心理承受力差的人很容易被困难打垮，而一个坚强的人往往在挫折中找到成功的途径。我教育他必须能够接受失败，否则无法养成持之以恒的性格。我教他从一开始就学会忍受失败带来的负面影响，并勇敢地面对它。

我告诉儿子，为了避免失败而逃避工作，是那些劣等性格中最顽固不化的东西。那些坏孩子就是这样，他们通过拒绝参加学习来逃避考试，越是这样，自卑心就越来越膨胀。那些坏孩子为了给自己这种自欺欺人的想法找出正当的理由，他们往往会自我美言，贬低自己不愿意干的事，或攻击勤奋的人“虚伪”、“愚蠢无知”等。他们会自我安慰，“失败”标志着独树一帜，标志着个性强等，借此给自己创造一份虚假的自豪感。

我尽力教育卡尔懂得一个道理：犯错误，甚至失败都是走向成功的必由之路。关键是要尽自己的最大努力。

我告诫卡尔：无论在什么情况下都不要走极端。有些爱走极端的孩子，甚至用自残来避免失败，因为他们害怕不能满足父母、老师的期望而焦虑甚至恐惧。少年时代，

掩盖对失败的恐惧感的最普遍方式就是酗酒、打架。我认为，这些坏行为都是孩子们到了最在乎别人对自己看法的年龄后才开始的，并非巧合。

许多经验告诉我们，只要从小培养孩子勇敢、坚强、自信的心理，采用理解、信任、鼓励、谈心的方式帮助他们，那么，一些不良的极端行为自然能够避免。

我认为，人的自我欺骗的能力是无穷无尽的，因而我对教会儿子以现实为基础进行思考，是非常重视的。一个人只有面对现实，才会有所成就。很多人不能面对现实，整日沉浸在幻想之中，就是一种对现实的逃避心理。

虽然，人总是不可避免地受制于逃避现实的心理，但也必须学会面对现实。我时常这样教育儿子，尽量让他的行为既有利于自己又有利于别人。

为了防止儿子形成自我欺骗的心理，我教育他要按照世界真实的样子认识它，并做出恰当的反应和决定。

许多的父母没能教会孩子这方面的技能，反而教得孩子不能面对现实。有些人总想保护孩子不受残酷现实的影响，结果更加强化了他们的逃避心理。在我看来，这些父母在不自觉中对孩子造成的不良后果，可以说是一种犯罪。

我对卡尔采取的做法是：不管有多么痛苦，都要帮助他正视现实。当我向儿子解释事实，教他处理问题时，他就会渐渐明白：父母有能力来面对和应付那些哪怕是最困难的处境。

每当这时，卡尔会说："我也能做到。"

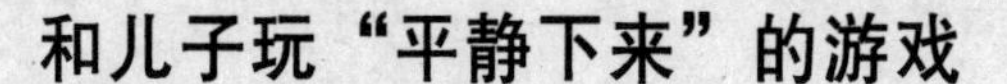

和儿子玩“平静下来”的游戏

我们知道，人有多大的力气也难以把自己提起，人要战胜自己是一件不容易的事，而能战胜自己就是对自己控制的成功。

情感的自我控制是一个人必备的基本素质，也是一个人走向成熟的心理要素之一。我认为，要想让孩子学会控制情感，必须以毒攻毒，用以情感为基础的解决办法来解决情感问题。

我曾经用名为“平静下来”的游戏来训练儿子的自我控制能力。

卡尔全神贯注，要把绿棍下的红棍取出来。因为他太专心，他的手都有些发抖。他只有在不碰到黄棍的情况下，把红棍移动四分之一英寸，才可以把红棍拿出来。这时，我对着他的耳朵吹了一下，弄出点噪声，并不停地与他说话逗他，试图分散他的注意力。但卡尔完全不为所动，慢慢作深呼吸，放松肌肉，眼睛紧紧盯着目标。他知道，要想赢得这场游戏，就必须不受我的影响，集中注意力。他暗暗告诉自己：“只看眼前的目标”。果然，他把红棍取出来了，而且没有碰到其他棍子。

我认为和卡尔玩的这种“平静下来”的游戏，可以帮助他对付别人的干扰。这个游戏的规则是要求参加者在一定时间内从一堆木棍中移走一根，不能碰其他木棍。

虽然内容很简单，但需要参加者能集中注意力，具备很好的动作协调能力，目的是教会儿子情感控制技能。卡尔玩时，我可以在一旁以任何方式取笑他，但不能碰他。每取出一根木棍，每人得一分，如果对取笑毫无反应，就得两分。

我认为，此种游戏对教会儿子情感控制技能很有用。儿子在遭到我取笑时，光告诉他怎么做是不够的，同时还要告诉他应该学会控制住自己的情感。

训练儿子认识和了解情感在身体上的反应非常重要。这样他就能逐渐学会自我控制。

当孩子生气时，脸色通红，身体发紧，处于过度紧张状态，在姿势、面部表情和体态上都有表现。而这种“平静下来”的成功的训练方法是要孩子首先认识这些标志，然后通过深呼吸、分散注意力等方法，使自己身体平静下来。

有了好的控制能力，孩子就会正确地认识自己，并且对周围的干扰无动于衷，以一种轻松的心情面对一些不好的事情，而不是一怒而起。这对他们在学习和生活上都有极好的作用，并能够在将来的生活中谐调地处理好一切人与人之间的关系。

尽量争取与果断放弃

我的教育宗旨是培养全面的人才，这一点已在前面叙述过。在儿子的早期教育中我特别强调多方面的培养。只要儿子愿意，他所想学的我都尽量满足他。只要是对儿子成长有利的事，我都不会去反对他，也不限制他的某些事情。

很多父母先入为主地希望孩子成为他们想像中的人才，过早地为孩子选定专业方向，凭自己的喜好去培养孩子，这对孩子的健康成长极为不利。

某些父母由于自己喜爱艺术就逼着孩子去学习绘画、音乐，根本不顾孩子的感受，也不会用有效而正确的方法引导孩子，这样的做法只能令孩子反感，还有可能反将孩子本身就具有的爱好抹杀掉。每当看见那些被父母逼迫坐到钢琴前的孩子，我就感到心痛。我认为，那些孩子根本就不是在受教育，而是在受折磨。从小就在痛苦之中学习，他们怎么能够热爱学习呢？在父母的皮鞭下涂抹颜色的孩子可能成为画家吗？

卡尔在早期教育中学到了大量的知识，也有许多非常有意义的爱好。但这些都是他主动要求学的，并且每做一件事都充满强烈的兴趣。他在学习之中找到了乐趣，在爱好之中享受了美好的童年。

但是，对于卡尔，我并没有要求他把所有的知识都学到登峰造极。因为这是不可能的，也是没有必要的。培养全面的人才并不等于造就无所不能的超人。人都有缺点，人不是万能的神，所以不可能面面俱到。

我一直鼓励儿子从事艺术方面的活动。他喜欢画画，喜欢音乐，我都给予他支持和鼓励，因为这些爱好有助于增强他的想像力和创造力。但这并不意味着非要把他培养成一个艺术家。当然，如果是出于他的本意，如果他想成为艺术家又是另外一回事。

当孩子迷上了某种与他先天条件不相适应的事物时，父母有责任帮助孩子做出选择。因为多方面培养并非要求面面俱到或平均使用力量，还必须视环境、条件是否许可，尤其是要根据孩子的身心特点、兴趣爱好、发展前景而因材施教。年幼的孩子天生都很自信，即使面对无法逾越的困难和无数次失败，这种自信丝毫不减弱，这当然是非常好的事。尽管有经验的人早就看出没有可能成功，小孩子却天真地相信只要坚持下去，最终会成功的。我认为，孩子有这样坚韧的毅力是令人赞叹的。但是，在孩子不能对自己做出正确的判断的时候，父母应该承担起这一重任。

我认为，不能让孩子在没有成功可能性的路上白白耗费宝贵的生命。一旦遇到这种情况，父母应该抓住机会教他学习现实地思考问题。这是孩子渐渐走向成熟的关键所在。

我时常对卡尔说，能够争取的就尽量争取，应该放弃的果断地放弃，因为这是一种智慧，也是很多人时常面临的难题，也是对人生的一种考验。

在儿子学习演奏乐器的时候，因为我们的出发点在于培养他的爱好，让他的手指变得特别灵巧，目的在于通过音乐陶冶他的性情、开发他的智力，所以在他偶尔弹错几个音时并不会遭到责骂，也不会为这些失误而感到失望。孩子喜欢练琴，即使弹得不十分完美，也是一件好事。因为这样不仅培养他的兴趣，也促进了他智力的发展。

记得在卡尔大约八、九岁的时候，有一天他突然告诉我他不想学习语言、数学等知识了，他想成为一个英勇的武士，想成为一个威武的将军。

八、九岁的孩子都有成为英雄的欲望，这几乎是每个孩子成长过程中必不可少的情结。我了解孩子的心情，他们这时正处在既懂事又不懂事的阶段，他们对未来充满希望而又显得太着急，他们想成功，想征服世界，几乎所有孩子的远大抱负都是从这个时候开始的。我本人在八、九岁时也是这样。这个阶段，父母对孩子的正确指导特别重要。否则，孩子会在不成熟的心理中做出错误的选择，浪费宝贵的时光。卡尔想当武士，想成为将军就是基于想作英雄的情结。为了让他在内心深处懂得做人的道理，我并没有像一些父母那样简单地否定他，而是先给他讲当武士必需的条件后，再来慢慢开导他。

“儿子，你忘了我给你讲过的那些故事吗？那些东方的武士是多么的英勇啊！”

“是啊，我就是想成为那种英勇的武士，行侠仗义，杀富济贫，救助穷人。”儿子充满憧憬地说。

“可是，你有没有想过他们是怎样成为武士的？”我问道。

“他们从小苦练武功，访遍名山拜师求艺，最终成为大英雄。”

“你想当武士很好，但我又不会武艺，在我们这里又没有那些身怀绝技的老师，你怎么学呢？”我问道。

“我就去东方，去中国，去日本……”

“那当然好，可是到了东方，你就一定能找到那样的老师吗？找到后他就一定会教你吗？还有更重要的，我给你讲的那些故事毕竟是故事，不一定是真实的。你想想，一个人能够一下跳得几十米高吗？我认为那是不可能的，那是人类的极限无法达到的。那些故事是为了给人娱乐，给人想像力。我之所以给你讲那些故事，是为了让你学习那些武士的勇敢精神，并不是一定要让你成为武士。”

这时，我看见儿子的表情显得特别失望，于是又继续开导他。

“再说，现在的时代已经与古代完全不同了。古代的英雄和将军，必须亲自赤膊上阵，必须自己拿着刀剑上战场上拼杀，因为那时的科学比较落后、原始。现在的将军必须要有过人的智慧，必须掌握各种各样的知识，而不是仅仅凭自己的武艺去拼杀。”

“儿子，你要记住，人都各有所长，也各有自己的缺点。你要清醒地把握住自己的长处。你看，你的数学、语言、文学都是非常优秀的，干嘛要放弃它们呢？每一个领域里都有英雄，而不单单是在战场上。如果你成为文学家，会为人类带来极大的精神财富，如果成为发明家，会为人们创造出多少有用的东西啊。只要你发挥自己的长处，你就会在不同的领域中成为不同的英雄。一些你不适合做的事，你应该勇敢地放弃。其实，能够真正面对自己的人，才算是真正的大英雄。”

卡尔听我这样说，顿时恍然大悟。他这时对英雄的涵义有了真正的认识，也懂得了既会争取又会放弃的道理。这对他以后的人生道路起到了极大的积极作用。在以后的日子里，无论面临怎样的境况，他都能够凭自己的理智做出正确的选择。

儿子的精神卫生

对于卡尔的教育，我非常注重发挥他追求真理的精神。追求真理，就是从愚昧的深渊里走向光明的过程。

很多父母的教育完全无视孩子追求真理的精神和求知

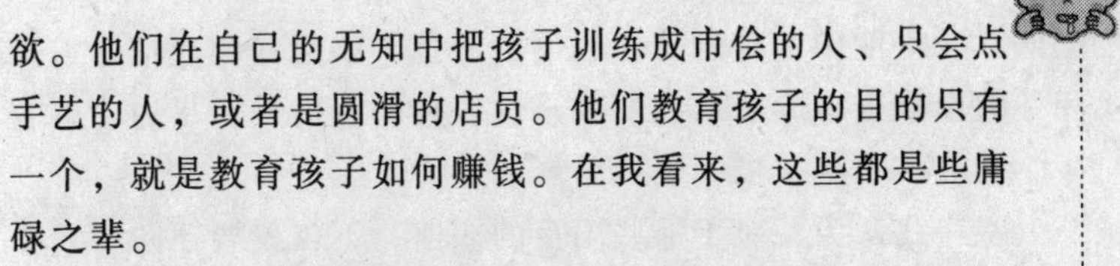

欲。他们在自己的无知中把孩子训练成市侩的人、只会点手艺的人，或者是圆滑的店员。他们教育孩子的目的只有一个，就是教育孩子如何赚钱。在我看来，这些都是些庸碌之辈。

努力发展自己的智力和品质是每个人应享有的权利。我建议那些愚蠢的父母应该抛弃处世哲学和赚钱术，而把精力放在协助孩子发展追求真理的精神上，培养他们的求知欲望，让他们尽量发展智力。如果真能实施这种教育，孩子们表达出的思想一定会使那些旧脑筋的人感到愕然。然而，只有真正的教育才能做到这一点，因为只有这种教育才能积极努力地发挥孩子的智力。

有些愚昧的父母不仅不能教育孩子去追求真理，反而把各种乌七八糟的东西都往他们的脑子里灌。这样做的结果，只能使孩子变得愚蠢和无能。不仅没有让孩子学到真正有意义的知识，还损害了他们本来健康的神经。

有些父母为了某种原因，或是为了管教孩子，或是因为闲着无聊，给孩子单纯的头脑中灌输恐怖和迷信的故事，让孩子从小就失去了探求真理的信心。他们的做法使孩子不能正确地判断周围的一切事。本来孩子因为幼小而脆弱，他们正处在需要帮助的时候，而那些迷信的认识却将他们的思维引向了歧途。

在幼儿时期灌输到孩子头脑中的恐怖和迷信等，如同病菌一样，会在孩子的内心之中恶劣地曼延，是致使孩子精神异常的病因。所以，我坚决反对给孩子讲幽灵、恶鬼、地狱、妖怪之类的故事。用这些故事来恫吓孩子则是有害的。它直接影响到孩子已形成光明的内心世界，也直接阻碍了孩子的健康成长。

生活中，特别是在民间给予孩子以恐怖和迷信等方面的影响很多，所以我们要采取各种防范措施，尽力不要它们给孩子带来极其不良的影响。

我认为，对于那些不良的东西，不仅仅要预防，还要给孩子采取免疫的办法。让孩子在干干净净，没有病毒的精神世界中健康发展。这样，孩子就会像种上牛豆、打上预防针一样，即使碰到精神病菌，他们受到的毒害也少。

据我所知，一个人精神异常的主要原因之一就是在幼儿时期被灌输了恐怖和迷信等，这些东西一直会在人的头脑中作怪。甚至长大成人之后，也会时常受它们的困挠和危害。我曾经就这事请教过精神病专家，他告诉了我外行想不到的数字：有几百万被称之为机能性精神病患者的人，他们的病因大多是在幼儿时期遭到过惊吓，或遇到过恐怖的事，或是听到说让他永远无法忘记的恐怖故事。他还告诉我，如果小时候教育得法，是可以避免的。而且，得法的教育会使机能性精神病大大减轻。由此看来，除了医学，教育就是拯救人类的主要手段了。

为了让我弄得更明白，那位热心的精神病专家还特地让我见到了他的病人。其中有一个26岁的青年，他的病叫抑郁症。他陷入了自己犯有不可饶恕的罪行的胡思乱想中，认为自己将来一定会被打入十八层地狱永世不得翻身。他就是被这样一种恐怖缠身，样子非常可怜。医生对他的病情进行了分析，了解到在他5岁时，在学校里被一个无知的女教师灌输了地狱的恐怖情景所致。

还有一个抑郁病患者，她是一位牧师的妻子。她什么都怕，怕天黑，怕黑暗的地方，不敢一个人呆着，夜里不敢睡觉，睡着便做噩梦。因而，她骨瘦如柴，只有眼睛还

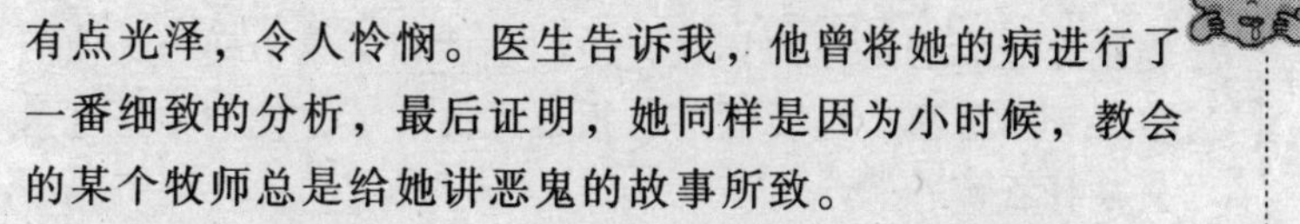

有点光泽，令人怜悯。医生告诉我，他曾将她的病进行了一番细致的分析，最后证明，她同样是因为小时候，教会的某个牧师总是给她讲恶鬼的故事所致。

当我听到这样的事，顿时感到悲哀。牧师的职责在于帮助他人，从黑暗之中走向光明。可是我的那位同行却做了相反的事。他的愚蠢做法，他的那些鬼故事，却把一个本来善良的人引向了黑暗。他不是一个尽到责任的牧师，简直是一个罪人。我想他才会真正地被打入十八层地狱。他的做法，上帝是永远不能宽恕的。

我给儿子讲过许多故事，但从来没有给他讲那些可怕的东西。我只给他讲有益于身心健康的光明的故事。我让他在故事中体会人生，让他懂得做人的道理。

有一次，卡尔问我世界上有没有魔鬼。我对他说既可以说有，也可以说没有。他觉得我的回答很奇怪，因为我没有给他确切的答复。

“我认为是有的。”卡尔说。

“为什么呢？你见过魔鬼吗？”我问儿子。

“没有见过，可是人们都说有。”

“既然没有见到过，你就不能说有，因为人只相信亲眼见过的事物。”

“可是，为什么人们都说有呢？”

“因为，那是无知的人瞎猜想。”我说道。

“那么，爸爸，你为什么说又有呢？”卡尔一定要把这件事问明白。

“其实，魔鬼只会存在于人的心中。”看着儿子那副认真的模样，我认为有必要给他说清楚其中的道理。“善良的人，心中没有魔鬼，而那些坏人，心中就一定有魔鬼。

你看那些无恶不作的坏人，他们不就和魔鬼一样吗？他们整天无所事事，还要做些有损他人的坏事，他们不是魔鬼又是什么呢?"

"儿子，你要记住，一个人心中充满光明，正直地做人，能够帮助别人，尽力行善，为他人着想，那么他就是天使。如果总是想着自己，只干坏事，那么他就是魔鬼。一个人只要心中光明，就能战胜邪恶，就能战胜无恶不作的魔鬼。"

"爸爸，我明白了。世界上是有魔鬼的，就是那些无恶不作的坏人。我一定要做一个正直的人，那么我就不怕魔鬼了。"卡尔神采飞扬，他不但解开了心中的迷惑，还懂得了做人的道理。

良好的教育能够培养起人光明的内心世界，能够树立起孩子的信心，并能使孩子成为一个快乐的人。而那些愚蠢和无知的教育只会把孩子引向黑暗的深渊。

第 15 章

我教儿子与人相处

如果没有人与人之间的相互理解，那么每个人都固执地从自己的角度出发，认为自己永远对而别人总是错误的。

倾听的艺术

我认为，一个再聪明的孩子，如果不懂得如何与人交往，那只能是一个“孤家寡人”式的神童。这种孩子不可能在将来有所作为，即便他是个所谓的神童，也不会做出什么惊天动地的事来。**因为一个人只限于自己的知识，而不懂得与人相处，那么他的潜能也根本无法施展出来。这样的话，即便是才富八斗，那也只是个闭门造车的书呆子。**

对于卡尔的教育，我一直非常注意对他与人相处方面的培养。为了他能够与别人相处和睦，为了让他成为有很多朋友的人，我曾给他提出必须做到的要求：友爱、协作、大方、开朗、公道、礼貌、自尊、责任心、组织能力等等，目的是让他以这些作为与他人相处的准则，让他能够与别人以适当的方式交往。

善于与人交往就会觉得一切都很顺利，反之就会处处碰壁，以至于什么事情都做不成。而且，能与别人沟通的人永远是快乐的人，不能与人相处的是孤独和不幸的人。

有一天，一位朋友对我说起他家庭的事："我们有时候会出现问题，可是我们又不愿意实实在在地说出来。部分原因是由于害怕，部分原因是觉得丢脸。大家全都是这样，包括我和妻子，还有我们的孩子。"

我告诉他："如果大家愿意痛痛快快地说出心里话，我建议你们举行一个家庭会议，在会议上每个人都可以发表自己的意见。"

朋友听了我的话，他们每人买了一个笔记本，在上面记下所有其他人对自己作错的事情。他们规定一个时间举行会议，每次会议结束时选出一个新的领导，由他来安排所有的事情。

后来朋友告诉我，自从有了家庭会议后，家里的气氛好多了。每一次会议他们都像过节一样，大家欢聚一堂。开始时，他们彼此还有所顾虑，有很多矛盾。可是到了后来，大家都敞开心扉，畅所欲言，渐渐地那些矛盾都在不知不觉中消失了。

以前，孩子们不敢与他多说话，妻子也有些害怕他，他自己也确实很不自在。现在，孩子们逐渐地向父母袒露了他们的情感要求，他们希望父母经常晚上陪他们一起玩一会儿，父母毫不犹豫地答应了，但同时也提出了对孩子的建议，即孩子要作到及时上楼、吃饭和洗澡。他们一家人都很赞成这种交谈方式，这使父母与孩子可以轻松地畅所欲言，而且大家都乐于去实施民主作出的决定，家庭的情感沟通、家庭教育都收到了理想的成效。并且，我的这位朋友和妻子的感情也恢复到了新婚时那样美满。

这种作法被我称为自助的家庭教育方式。我认为家庭生活可能会使家人之间产生心理障碍与隔阂，但家庭也同时具备一种积极的力量，应该主动而充分地利用它来解决所遇到的问题。比如，母亲要面对繁杂琐碎的家务，而孩子的不整洁更增添了她的负担；父亲忙碌了一天的工作，回到家却是孩子调皮捣蛋、吵吵闹闹。这时父母也许会容忍下去，但这种作法不仅不利于孩子的教育，而且会让父母感觉到压抑，甚至觉得世界都对他充满敌意。那么火冒三丈，大声责骂又怎样呢？这显然也不是明智的举动，而且会产生与孩子情感上的裂痕。

如果父母采取一种积极解决冲突的态度和方法，让全家人都坐下来，在家庭会上和谐融洽的气氛之中，这样的提议无疑是具有建设性的，而且会收到较为满意的结果。

积极的沟通不仅是父母与孩子对话、教育孩子的重要途径，它本身也是一种教育。受父母的言谈处事的影响，孩子对他所处的环境也能以主动和自信的姿态出现，能够从容理智地解决问题。

我从卡尔 3 岁起就让他加入类似于家庭会议这样的活动，与我和他的母亲以及女佣讨论某个问题。尽管他那时还不能每一个字都懂，但他已经注意到，发生了什么事，别人相互间怎样交谈，解决一个问题需要具有什么样的能力。

家庭会议的方式会涉及到家庭教育中很多具体而重要的细节，而这些可能是被教育的双方所忽略了的。如母亲表示，她的孩子如果能帮她洗衣服和晒衣服，她会很高兴的，而孩子希望父亲能够多花一些时间陪他玩。对于父母而言，把握了这些孩子所在意的细节，无疑有助于他们更深入地理解孩子。这种深入的理解令孩子信任父母，更乐于接受父母的教育。

我在教育卡尔的过程中，渐渐掌握了一些与孩子进行沟通的经验，其中之一我称之为“倾听的艺术”。

我和妻子每天在卡尔入睡以前，都要留一段时间听孩子讲今天发生了哪些事情，于是很多时候儿子自然就会作出评价，哪些事情做得好，哪些事情做得不好。在叙述的过程中他逐渐习惯了反省自身，而我们也会对儿子的个性、待人处事有清楚的了解。我认为，作父母的总是希望孩子对自己敞开心扉，希望孩子有什么事都与自己商量，征求自己的意见。但父母应该首先营造真心倾听的氛围，赢得孩子情感上的信任，才能与孩子达到无拘无束交流的默契。

在与儿子的交谈中，我会注意承认儿子感觉的真实，但这种理解并不意味着一切由着他。对于他不正确的想法，我会给予他及时地指导，并给他讲清楚道理。

有一天，卡尔对我说，他不喜欢我们的邻居布劳恩夫人。我问他为什么，他说布劳恩夫人很少笑，一点也不亲切。

我对他说：“你不喜欢布劳恩夫人是因为她看上去不亲切，很少笑。可是另外一些事情你也许不了解，布劳恩夫人的心地很好，如果你对她表示友好，她会很高兴的。你们会和睦相处的。”

晚餐对于我们来说，是一个最美好最重要的时刻。我

们时常在餐桌上讨论家庭问题。每当这个时候，我都不许有任何人来打断我们。家里的每个人都有机会讲出自己的想法。我发现，利用这种时刻与儿子进行沟通交流效果确实与平时不大一样。卡尔在此时谈论的事情也最能引起我们的注意，他自己也会产生一种得到尊重的满足感。

我有时还会专门选择一定时间与儿子聚在一起，我们一起去田野，一起去树林中野炊，共同分享彼此的情感。在这样轻松愉快的过程中，我和儿子谈心就显得非常自然舒畅。

我认为“倾听”是一种非常好的教育方式，因为倾听对孩子来说是在表示尊敬，表达关心，这也促使孩子去认识自己和自己的能力。如果孩子感到他能自由地对任何事物提出自己的意见，而他的认识又没有受到轻视和奚落，这样可以促使他毫不迟疑、无所顾忌地发表自己的意见。先是在家里，然后在学校，将来就可以在工作上、社会中自信勇敢地正视和处理各种事情。

我认为沟通是一种艺术，有关的时间、地点、环境和方式都要考虑到。比如说孩子有时候希望在心理和情感上保留一些自己的空间或者说他感情波动很大，非常需要安慰，而不是提问时，在这些时候，我会拥抱、抚摸儿子，传达给他沉默而温暖的信号。有时候，对于某些我觉得不便用口头表露的情感，我会把要表达的意思以书面的形式，写在纸条上，这使它们加重了自身的分量，并显得更加真实可信。

我想尽一切办法让我和家人能和儿子有良好的沟通，这不仅更加加深了对儿子的了解和感情，也教会儿子怎样去与他人沟通交流，以培养儿子能够善于与他人交往的能力。

相互理解的力量

许多家庭问题的发生，如家庭成员之间情感的疏离和冷漠、孩子性格心理上的缺陷等等，都与家庭中的沟通有关，往往起源于相互之间不能很好的理解。

就拿孩子的撒谎行为来说，很多时候就是在当孩子感到与父母处于不平等的地位，经验告诉他们，父母不愿意与他共同探讨有些事情该如何对待，不愿意去理解他们做的某些事，而会对他们所犯的错误给以严厉的叱责，所以他们就选择不把真话说出来。

我认为，成功的家庭沟通，应该注意以下因素：理解、关怀、接纳、信赖和尊重。理解要求父母孩子双方能够设身处地地为他人着想，关怀不但存在于内心，更要切实付诸于行动；接纳要求考虑到每个人的个性，懂得欣赏人们身上的优点，信赖是要作到既信任别人也信任自己；而尊重是指尊重他人特别是孩子的权利，尊重他们的意见和选择。

要建立一种积极健康的家庭沟通交流关系，应该改变父母是决策人，孩子是接受者这样僵化的家庭角色的分配。父母在家庭教育中应该懂得进行角色交换，每一个家庭成员都可以对他表述的愿望予以积极的辩解。当孩子能够参与讨论家里的通常是成年人的问题时，他们方能够更好地理解父母，而父母一方面可以调动孩子的主动性，使自己清楚地认识孩子的才干，另一方面可以得到有关自己教育的反馈信息。

由于某种原因，我弟弟的孩子维尔纳曾来我家住过一段时间。他比卡尔小一岁，是他的弟弟。维尔纳非常可爱，我们都很喜欢他，由于他住在我们家，我们不想让他有不自在的感觉，所以卡尔母亲对维尔纳极为疼爱。这样以来，卡尔就觉得母亲的爱都转到了维尔纳身上。

卡尔在一段时间里认定，在他和弟弟威尔纳的争执中，母亲总是偏袒威尔纳。这是孩子很容易产生的情绪，认为父母的关怀被弟弟分享而产生的不平衡的心理。卡尔的母亲则希望卡尔在与威尔纳的相处当中，应该学会调整自己的心态和举止，消除对别人的敌意，学会照顾别人，以后才能处理好与别人交往的问题。

但是面对卡尔的气恼，母亲并没有直接用道理来教训他，或是问他："为什么要跟比自己小的弟弟过不去。"而是郑重地对两个孩子说："我给你们提个建议，以后你们自己要搞好团结，我不干预，你们已经是有理智的孩子了。卡尔，你是不会在感情上伤害弟弟的，对吗？如果你们俩还不团结，再来找我好了。"这样，卡尔母亲就把一个关心者、照顾者的角色交给儿子了。在这以后，卡尔和弟弟威尔纳之间有了更加亲密的手足之情。母亲的提醒使卡尔意识到自己的责任，感受到自己是这家里负责任的一员，从而变得渐渐成熟起来。在这以后，卡尔对弟弟威尔纳百般照顾，除了陪他玩还教他读书，并给他讲有趣的故事。

有的时候我看到儿子的问题，希望儿子可以主动地认识到，并真正地予以纠正，于是也让他来做一个决策者，我来问孩子，"现在有这样的麻烦，我们应该怎么办？"这样的做法更利于建立我与儿子之间的感情，更加有利于增进双方的相互理解。只要双方有了理解，那么一切问题都会迎刃而解。

有一次，卡尔和弟弟威尔纳商量好到田野中去玩。我同意了他们，但是要求必须在傍晚之前回来。可是他们可能玩得太尽兴，天黑之后才回到家。对于他们未在规定时间里准时回来的事，我当时并没有说什么。等他们再次提出类似的要求时，我对卡尔说："有件事令我和你的母亲很担忧，就是约定好的时间里你们没有回来。那天可把我们急坏了，不知道究竟发生了什么事，你母亲都快要急哭了。你看应该怎么办呢?"由于孩子亲自参与对问题的决定，所以他会很自觉地按照要求去做。后来，卡尔再也没有发生不守时的事，我认为，通过一个现象问题的共同协商，父母最后想让孩子明白的是"理解、信任、承诺、准时"等观念的重要。通过协商的方式，最容易让孩子站在他人的立场上思考，也最容易让孩子养成理解他人的习惯。如果面对上述的那些情况，我并没有采用协商的方式，而只是斥责。那么儿子就不会真正地理解父母的一番苦心，甚至还会向相反的方向发展，会变得越来越不听父母的话。

在一次家庭会议上，我们全家人讨论了卡尔的设想，他计划能够在一个周末搞一次野炊，他想尝试发挥以往由我发挥的职能。他选定了野炊的地点，宣布出发的时间，并且对准备的食品提出建议。我和卡尔母亲有时加以表决，以推动计划的进一步展开，大家还不断地在本子上记下些什么。现在，我们的家庭会议就庆祝节日、馈赠礼品、请客、游玩等活动进行了安排，它已经成为全家人的情感和生活紧密联系的纽带。在家庭会议中，我们对儿子的想法也有一些不同的意见，但我们并不急于提出批评，而是以某种巧妙的方式，让他自己做出正确的决定。

我认为，沟通和理解是最重要的。家庭中对沟通技能、方法的掌握与学习，与孩子未来社会适应能力的高低紧密相联。如果一个孩子从小在家庭中学会了与家庭成员沟通的技巧，当他走入社会时，他也能很快地与他人沟通。

更重要的是，与他人沟通是建立在理解的基础上的。如果没有人与人之间的相互理解，那么每个人都固执地从自己的角度出发，认为自己永远对而别人总是错误的。如果人把自己限制在狭小的自我之中，那么他就不可能去理解他人，不可能去发现别人的长处，那么与他人沟通就无从谈起。如果孩子长大成人后，不能理解他人，不能与他人达成良好的合作关系，那么即使他是一个三头六臂的超人，也不能顺利地做好每件事，只会为自己设下许多无法逾越的障碍。所以我认为，能够理解他人是与人交往的最基本素质。只有这样，孩子才有可能成为一个全面发展的优秀人才。

第 16 章

我的教育理想

有人认为，我培养孩子绘画、音乐、文学方面的兴趣是为了想在人前炫耀，这是他们对我的极大误解。我从来不想把儿子培养成某一方面的天才，也从来没有把他的才能向别人过分地流露。

我只是想让儿子能够成为一个接近完美的人，只是想让他的一生在充满情趣和幸福之中度过，仅此而已。

对儿子的精心安排只是想让他成为一个接近完美的人

没有任何艺术的生活，就如同荒野一样。我认为，为了使孩子的一生幸福，生活丰富多彩，父母有义务使他们具有文学和艺术的修养。

我的教育理想，是要造就身体和精神全面发展的人才。对于儿子，我非常重视他的智力、品德、身体各方面都全面地发展。

只有知识的人，很可能会是一个只会读书的书呆子，这种人弱不经风，做不了任何有用的事。我不愿意儿子将来成为这样的人。谢天谢地，从事实来看，他并没有这样。

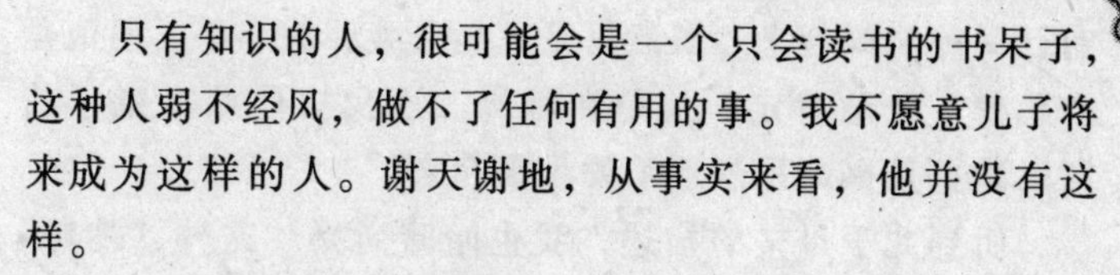

有的人具有强壮的体魄，但由于没有知识和品德作为后盾，他们的强壮显得多么单薄和无力。这种人或者粗暴，或者木讷，他们只能去靠自己的力气来过生活，只能对社会做出有限的贡献。还有些由于没有受到教育，他们无知、愚昧，甚至变得凶狠、残暴，不仅不能成为有用的人材，还会为社会带来极大的危害。

我一直重视儿子在各方面的教育而不单是学习知识。他在儿童时代就是一个非常健康、精神饱满的活泼少年。他有健康的身体，丰富的学识和修养，也有优良的道德品质。这些都是我的希望的，他也做得很好。

为了让卡尔成为一个在各方面都有良好素质的人，我并不满足于培养他在学问、品德和身体三方面的发展。与此同时，我还培养儿子的多种爱好。

卡尔的母亲从儿子很小的时候就开始给他唱一些悦耳的歌谣，一边唱一边有节奏地摇晃或轻拍怀抱的儿子。

卡尔的母亲说，儿子在婴儿时喂奶都要听着歌儿才肯吃，不管多调皮的时候，一听见歌声就乖了。只要她一唱歌，儿子就全神贯注地听，还哼哼着地想跟着学。如果在他面前跳舞，更是把他高兴得不得了。

在卡尔只有 10 个月时，他似乎就有了艺术方面的感觉。

有一天，儿子的母亲兴奋地对我说："看咱们的小卡尔是多么的机灵啊！今天我抱着他哼了几句歌谣，他居然自己又哼又舞起来，虽然只是乱晃着胖胖的小手，但他是在跳舞，我敢肯定，他是在跳舞。当我扶他站在镜子前时，他更是兴高采烈地手舞足蹈起来。”

听到儿子母亲的描述，我也暗暗高兴。这种“跳舞”虽然只是一种模仿行为，但创造多半是从模仿开始的，而且模仿也是一种有待发展的能力，需要成人随时鼓励，以增强孩子的兴趣和信心。

我认为，全身心地沉浸在欣赏或自娱中，尽情享受艺术的乐趣，是人生的一大幸福。

艺术的最大特点是它的抒情性和非功利性。我在教卡尔词汇的时候，不仅教那些明显有用的东西，也教他那些似乎没有用的东西。

我教会他认识了池塘水中倒影、阳光下的阴影，他还会很有兴趣地注视自己的手的影子，小手一翻一翻的，非常有乐趣。

这些可以帮助儿子扩大视野，扩展联想的范围，形成更多的情感。因为艺术在很大的程度上是抒发人的思想感情。

我对儿子爱好的培养都经过了精心的安排，我首先从我们的住宅开始做起。我在住宅的房间中，决不放置任何没有情趣和不相协调的东西。墙上贴着使人心情舒畅的墙纸，并且在上面挂上经过精心挑选的有边框的画。我尽力在室内摆设很有情趣的器具，决不摆设任何不合身份的东西。

如果有人赠送的礼物和家具的陈设不相谐调，我决不会摆出来。在衣着上，我们全家人都极为讲究，并不是一定要穿昂贵气派的服装，而是极为排斥花里胡哨的东西，讲究朴素和雅致。不仅是我自己，我也要求家人衣帽整齐，打扮得干净利索。

我在住宅的周围修上了雅致的花坛，栽上那些各色各样从春到秋常开不败的花卉。我从来不会种植那些没有情趣和不协调的花卉。

有一次，我看见卡尔一个人蹲在地上津津有味地做着什么。我没有惊动他，悄悄地走到了他的身后，原来他是在用一根小树枝在地面的泥沙上画画。我仔细看了看，没有想到那是一幅完整的画，天上有太阳和云朵，地面有树木和田野，田野间有几个农夫在种地。我之所以说它完整，是因为在画面中包含了很多的内容，而且构图非常完整，其中的线条还颇有韵律感，完全不像一般孩子的那种涂鸦之作。

“卡尔，你喜欢画画呢?”我抚摸着他的头。

“是的，画画很有意思。”儿子回答道。

“可你为什么画画呢?”

“我也不知道，就是觉得这里的田野很美，总想把它画下来。”儿子说道。

“那你想不想当一个画家呢?”我问。

“我没有想过，可是画画大有意思了。我在画画的时候看见天上的白云在不停地变动。”

听儿子这样说，我心中暗暗欢喜。虽然我不一定要把儿子培养成艺术家，可是画画的确在培养他的观察力。

后来，我给他买了画笔和纸张，尽量去给他提供培养这种爱好的条件。虽然儿子最终没有选择成为艺术家，我仍然将他那些小时候的画作保存至今，因为它们都是儿子孩提时代创造力的表现，也是他童年时期健康成长的纪念。

除了绘画之外，我还培养儿子的文学爱好。我从小就给他讲一些有趣的故事，到他能够自已阅读之时，我把一些好的文学作品推荐给他。很小的时候，卡尔就成了一个了不起的文学通，他几乎能背下所有的名诗，像荷马、维吉尔这样伟大诗人的作品，他都非常喜爱，并且很早就会写诗。

有人认为，我培养孩子绘画、音乐、文学方面的兴趣是为了想在人前炫耀，这是他们对我的极大误解。我从来不想把儿子培养成某一方面的天才，也从来没有把他的才能向别人过分地流露。

我只是想让儿子能够成为一个接近完美的人，只是想让他的一生在充满情趣和幸福之中度过，仅此而已。

用什么来陶冶孩子的感情

我不想把儿子培养成学识很高却冷漠无情的人，因为一个人失去感情，就会变成一台冷冰冰的机器，无论他有多大的才华，也只不过仅仅充当机器的一块零件而已。不仅是人，连动物都是有感情的。能否陶冶好孩子的感情直接关系着他将来的幸福。

很多父母为了开发孩子的爱心，陶冶他们的感情，往往通过宗教活动和豢养小动物来教育孩子要热爱生命，热爱生活，从而培养孩子对事业和社会的责任心。这些做法是值得称赞的，我也是通过这些去教育儿子。

有些父母给了儿子很好的生活条件，生活在非常优越的环境中。由于没有能够注意对孩子爱心的教导，他们变得一切以自己为中心，变得日益冷漠，对他人的冷暖漠不关心。

我认为，激发孩子的爱心及对社会的责任心极为重要，家庭应该承担这样的艰巨任务。

我们知道，很多的家庭都养有猫、狗之类的小动物，大多数的目的都是调剂生活，培养爱心。我有意识地用对小动物的热爱去启迪儿子的爱心，鼓励他扶持弱小。

卡尔 3 岁时，有一次家里来了好多人，他们和卡尔海阔天空地谈论着。

这时，我们养的一条小狗跑了进来。卡尔像其他孩子那样，一把拽住小狗的尾巴，把它拉到自己身边。

我看到后，立刻伸手揪住了卡尔的头发，脸色吓人，拽住不放。卡尔吃了一惊，把拽着狗尾巴的手放开了。

与卡尔放手的同时，我也把手放开了。

我问儿子："卡尔，你喜欢被人拽着头发吗？"

卡尔红着脸说："不喜欢。"

"如果是这样，那么对狗也不应当这样。"说完，我就让他到外面去了。

对于儿子这种很不合教育要求的做法，我总会严厉指正。

我之所以这样教育儿子，是为了让他能够站在他人的立场上来考虑问题。由于我严格的管教和指导，终于使卡尔成了一个心地善良、富于感情的人。他不仅对同胞怀有深情，就是对鸟兽之类也富于怜悯心，最终成为了一个能够得到别人尊敬和喜欢的人。

第 17 章

比任何一个儿童都要幸福

我认为，从小就享受到真理滋味的儿子，比任何一个儿童都要幸福。

一起惊人的事件

1808 年 5 月，梅泽堡一所学校的教师，琼斯·兰特福克先生，为了激励自己的学生，要求允许他在学生面前考考卡尔。我起初害怕由此引起儿子的骄傲自满，颇为踌躇，但最终还是答应了。

和往常一样，我提出了一个条件，即由于卡尔还是个孩子，关于考试一事不要事先让他知道，同时还要提前跟学生们打招呼，千万不要对他说一些表扬和赞美的话。

兰特福克先生应允后，就正式邀请我参观他的学校和学生，并希望提出批评和建议。到了学校，兰特福克先生把我和儿子带进教室，让我们坐到后面。

那堂课正好是希腊语课，教科书是《波鲁塔克》，学生们都感到挠头，兰特福克先生于是请卡尔回答，想让同学们见识见识。卡尔很轻松地就把学生们不明白的地方全解答了。不仅如此，卡尔对其它的问题也是对答如流。

尔后，兰特福克先生又把拉丁语写成的《凯撒大帝》一书交给卡尔，并提出问题。没想到，卡尔又毫不迟疑全部地做了回答，接着，兰特福克先生又拿出了一本用意大利文写的书让他读，他也读得很流利。在这过程中间，我也用意大利话向儿子提了几个问题，他都一一作了回答。

兰特福克先生还想考考他的法语，由于教室没有合适的书，只得用法语和卡尔说话。但卡尔就像用本国语讲话一样，也非常流畅地回答了各种问题。

后来，兰特福克先生又向他问了有关希腊的历史和地理等问题，尽管提的问题很多，又是各个方面的，但卡尔全部一一给予了回答。最后考了数学，卡尔圆满的答案使学生和老师都为之惊讶。

当时卡尔才7岁零10个月，看到这种令人幸福的情景，坐在教室后面的我内心涌出了激动和骄傲之情。

几天后，《汉堡通讯》上有一篇文章详细报道了事情的全过程。我记得非常清楚，报道从"几天前，在本地教育史上发生了一起惊人事件"的语句开始，而结语是：

"但是这个少年绝非少年老成，而是非常健康活泼、温柔而天真，并且没有一点少年人常有的傲气，好像完全没有意识到自己的才华。这个少年叫卡尔·威特，是洛赫村牧师威特博士的儿子。"

"无论是精神上还是身体上，谁的孩子能够得到如此理想的发展，其教育青少年的方法一定是非常有趣味的，但遗憾的是威特博士没有细谈。"

不久，各地的报纸又马上转载了这一报道。于是儿子卡尔的名字一下子轰动了整个德国。来拜访卡尔的人更多了，他被各方面的学者和教育家们测试，其后专家们都说耳闻不如一见，没有不佩服的。他们中许多都是当代一流的学者。

对于各种访问，儿子都是非常礼貌而冷静地对待。我也不时告诫他在这种情况下不要产生骄傲的情绪。卡尔仍然和往常一样，并没有因此而自满。这一点真令我感到欣慰。

莱比锡大学的入学邀请

在我们的国家，自古以来人们都特别尊重学者。德国之所以能够繁荣昌盛，其重要的原因之一就在于此。

由于卡尔的学识，他倾刻间就名扬天下了。莱比锡大学的一位教授和一位在本市很有势力的人物打算让卡尔进莱比锡大学学习，他们说服我让本市托马斯中学校长劳斯特博士对卡尔进行一次考核。

开始时，我并不想他们来考儿子，怕他们乱出考题并予以拒绝。可后来，我发现劳斯特博士是一个深明事理和蔼可亲的学者，并不是我开始所想像的那种人。在他们的再三劝说下，我最终同意了。

劳斯特博士没有让卡尔觉察到是在考试，而是在交谈中完成了考核。

时间是 1809 年 12 月 12 日。

考试过后，劳斯特博士就给卡尔写了入学证明书。内容是：

“今天根据我的要求，对一个 9 岁的少年卡尔·威特进行了测验。

考希腊语时从《伊利亚特》中选了几段；考拉丁语时从《艾丽绮斯》中选了几段；考意大利语时从伽利略的著作中选了几段；考法语时在某一本书中选了几段。都是比较难理解的地方，但是卡尔却完成得很好。

他不仅语言学知识丰富，而且理解能力很强，具备各方面的渊博学识。这个令人赞佩的少年，听说是其父威特博士教育的结果。

我认为这一教育方法值得学者们重视。总之，这个少年完全具备上大学的条件。为了学术的进步，让他上大学深造是非常必要的。

劳斯特博士的证明书送到莱比锡大学后，校方同意他于第二年 1 月 18 日入学。

入学那天，我带着儿子去见了校长居思博士。居思博士非常高兴，同我们谈了许多话。同一天，他向市里的权势人物发出一封信，内容如下：

洛赫村的牧师威特博士的儿子卡尔·威特，刚刚 9 岁就具备了十八、九岁的青年们所不及的智力和学力。这是他父亲对他实行早期教育的结果。

由此可知，适当的早期教育可使儿童的能力发展到令人难以置信的程度。卡尔能熟练地翻译法语、意大利语、拉丁语、英语以及希腊语的诗词和文章。他最近被很多学者考过，没有一个不为他的学识而惊叹。他还在国王面前接受过考试。

他具备十分丰富的人类有史以来在文学、历史和地理等方面所积累的知识。这些都是他父亲教育的结果。所以说他父亲的教育方法也是一点不亚于其儿子的学识，令人惊叹。

说到这个令人钦佩的少年的健康，与其他许多神童不同。他非常健康、快活和天真，也没有一点其他神童所往往表现出来的傲慢和无礼，真是个难得的可贵少年。只要今后继续进行教育，其发展是不可估量的。

可是由于这个少年的父亲收入微薄，又家住农村，难以继续对他进行教育。卡尔过去是由他父亲教育的，今后的教育则是他父亲力所不及的。

他父亲希望能全家都搬到城里，使少年住在自己身边并能上 3 年大学。但由于他父亲是农村的一个穷牧师，不可能牺牲牧师职务到城里来，所以我向诸位呼吁，只要威特博士每年有 4 个马克，就可以住到莱比锡，教育这个在大学里学习的可贵少年。为此特请诸位踊跃捐款，金额每年 4 马克，捐助 3 年。

这是最美好的事业，我深信诸位是不会甘于受到眼见着一个天才被埋没于世的谴责的。何况威特博士来本地也可以对其他孩子进行同样的教育，这对我们的教育研究亦可助一臂之力。

总之，这是一个美好的事业，望诸位踊跃参加。”

我记得，当时这封信的反响是相当大的，尽管每年预定筹款 4 个马克，但实际上达到了 8 个马克。不仅如此，当地人还为我划了从事牧师职业的区域，发给我双份的工资，并要求我一定去。

国王亲召入格廷根大学

我为了得到国王的辞职许可，带着儿子卡尔去了卡塞尔。这里要说清楚，以免误解。当时的国王不是普鲁士国王，而是维斯特法利亚国王杰罗姆（拿破仑一世的弟弟）。

1807年拿破仑一世在易北河西岸建立了维斯特法利亚王国，他弟弟杰罗姆当了国王。自那以后，洛赫村和哈雷等地方就属于这个王国管辖，但政治上却由法国人和德国人统治。我们到达卡塞尔后，碰巧国王外出旅行。于是，第二天早上我们才去拜访拉日斯特大臣，拉日斯特大臣也考了考卡尔，同样感到吃惊，他共考了卡尔3个小时，最终确认卡尔是个名不虚传的杰出人才。他觉得把卡尔送到国外去太可惜了，因为莱比锡当时是属于萨克森的。他问了许多有关我的教育方法，最后决定不让我们父子去莱比锡而留在国内。

第二天，拉日斯特设晚宴招待我们和政府的大臣们。在宴会上，这些人也考了卡尔，大家都感到非常满意。经过协商，他们决定请国王承担莱比锡市民们所承担的义务，让我们留在国内上哈雷大学或者格廷根大学而不去莱比锡。但我以不能辜负莱比锡市民们的心意而拒绝了。由于没有得到国王的许可，我们只好闷闷不乐地在洛赫等着。

7月29日，我们接到了维尔弗拉得大臣的来信，信中写道：

足下的辞意和令郎的非凡才学已经呈报国王陛下，热心于学事的陛下让我传达他的命令。准许足下在本年圣诞节之后辞去现职，待令郎大学毕业后再为足下划定从事牧师职业的区域。

陛下说由于国内也有优秀的大学，所以没有必要前往外国，应在国内就学。并且不必接受外国的资助，在本年圣诞节之后的3年中，每年下赐60个马克，命令令郎上格廷根大学学习。

我很荣幸能向足下传达御令，也愿为令郎的教育贡献力量。为迁往格廷根，令从即日起到圣诞节的两个月期间可以做离职准备。

就这样，卡尔于同年秋天上了格廷根大学，共学习了四年。

四年中他所学的学科是：第一学期是古代史和物理学；第二学期是数学和植物学；第三学期是应用数学和博物学；第四学期是化学和解析学；第五学期是测量学、实验化学、矿物学和微积分；第六学期是实用几何学、光学、矿物学（继上学期）、法国文学；第七学期是政治史、古代史（第二轮）；第八学期是高等数学。此外，还有解析化学、伦理学、语言学等。

在学习过程中，起初我和他一道去学校，以便进行照顾，这是由于卡尔年龄太小不放心。

卡尔在大学里的学习生活是轻松愉快的。一般说来，一个10岁左右的少年和一些20岁左右的青年一起学习，一定是相当紧张的，但实际上卡尔的学习并不紧张。

他可以尽情地游玩和参加运动，并常常去采集动植物标本。他会画画、能弹琴、也会跳舞。除了上课外，一天也没有停止过对古典语和近代语的研究。

复活节的假日一到，我就领儿子去旅行，这件事很使人们不解。他们以为我一定会利用这一周的休假拚命帮助儿子复习功课，估计我们为此会天天跑图书馆。我的朋友们也确是这样劝我的。但是我却回答道：“如果我是打算让儿子作一个供人观赏的玩物，我就那么干，可是我的目的不是要儿子作展览品，我以为与学问相比儿子的健康和见闻更为重要，况且儿子的学习时间已是绰绰有余的。”总之，他们都感到极为惊异。

在儿子上大学期间，我仍然非常重视他的健康，不管刮风下雨都要卡尔把室外运动当作课业坚持下去。下雨天和雪天只是散步，在风雪交夹的天气里人们常常可以看到我们父子二人在马路上蹓蹓跶跶。

第二年夏天，即第二学期末，国王杰罗姆驾临格廷根大学视察。国王参观了校内的各个地方，最后到了植物园。

由于卡尔这个学期听植物学讲义，所以同其他学生们一道都在植物园。国王的随从中有前面提到过的拉日斯特大臣，在植物园他一眼就认出了卡尔并向国王做了介绍。国王非常高兴，一定要和卡尔谈谈话。于是侍从们就把卡尔叫到国王夫妻面前，同时也允许我一起进见。国王同我们谈了一席话，鼓励我的儿子今后要更加努力学习，表示要永远给予保护，希望卡尔安心学习。

我们从国王面前退下来后，随行的贵妇人们蜂踊而上，围着卡尔亲吻。然后由两个将军把卡尔夹在中间跟随国王之后，一直到把国王送上车时为止。

这年，卡尔才八岁。

1812 年冬，即第五学期，卡尔 12 岁时公开发表了关于螺旋线的论文，受到了学者们的好评。由于在书中发表了他自己发明的非常简便的画曲线工具，更加受到了国王及其人民的极大的赞赏。

在第七学期，他一面专心致志地学习政治史，又挤出时间写了三角术一书。当时他才13岁半。这本书在当时未能马上出版，是1815年他离开了格廷根大学到了海得尔堡大学以后才出版的。

1813年，我接到了国王的通知，通知上说把供给卡尔的学费延长到四年，并允许他到任何一个大学里去学习。这是由于原来拟定的供给学费三年的期限已满。

由于前一年拿破仑远征俄国失败，其势力逐渐衰落，十月莱比锡一战失败，维斯特法利亚国便崩溃了。这时，维斯特法利亚政府就把卡尔推荐给了汉诺威、布朗斯维克、黑森三国政府。

由于维斯特法利亚政府中有一半官员是德国人，再加上处于战乱时期，每个国家都缺钱，凡是不急需的事就不准花钱。

尽管这样，三国政府还是接受了这一推荐，痛快答应负担卡尔的学费。可见当时人们是多么重视卡尔的才学，我也为此而感动，他在格廷根大学的第八期的学费是由三国政府出的。

14岁的博士

第二年四月，卡尔去维茨拉尔旅行，并访问了吉森大学。该大学的哲学教授们欢迎他并一起讨论了学术上的各种问题，最后承认了他的学术水平（特别是 1812 年公开发表的论文价值），由校长赫拉马莱博士授予他哲学博士学位，那是 1814 年 4 月 10 日的事。

随后，卡尔又访问了马尔堡大学，同样受到了热烈欢迎。据说如果不是吉森大学抢了先的话，该大学也准备授予他哲学博士的称号。

由于在格廷根大学第八期的学费是由汉诺威、布朗斯维克、黑森三国政府出的，当我们前去布朗斯维克领取学费时，当局就把我们介绍给了布朗斯维克公爵。当时正巧公爵要外出旅行，但仍然高兴地接见了我们，谈了许多话，并热心地建议我们去英国留学。并表示只要我们愿意去，就把我们推荐给他国内的亲属并愿出学费。

当我们由于同样的原因，去汉诺威时，卡尔被聘请做报告。因为卡尔在此之前曾于萨尔茨韦德尔做过数学报告并受到了极大的好评。当问到要求讲什么时，对方仍然提出希望讲讲数学方面的问题。卡尔在接受了邀请的第二天，就在本地中学的大礼堂里做了讲演。

当时是 1814 年 5 月 3 日，他年仅 14 岁。

参加的听众，集中了市内所有的知识分子。我的儿子他用漂亮的德语讲得既流畅又清晰。由于他连日来忙于交际，每天很晚才得以休息，无暇准备，又由于休息得很晚，所以有人产生了怀疑，绕到卡尔后面想看看是不是有底稿。当这位猎奇者看到卡尔没有底稿后，就更为惊异了。

卡尔也注意到了这一点，为了解除听众的怀疑，他特意离开讲桌，这时听众们更是报以热烈的掌声。

当卡尔在热烈的喝彩声中结束讲演后，政府承认了他的才学，并向他提供了比承担的份额还要多的学费。

肯布里基公爵也和布朗斯维克公爵一样，建议卡尔去英国留学，并答应给予推荐和出学费。

去黑森时，我们也同样受到了热烈欢迎，常被邀请到宫中招待。

儿子从格廷根大学毕业后，我就在考虑他今后的出路。

我想，如果打算让卡尔早日成名，作为上策最好让卡尔钻研迄今为止所获得的学问的某个领域。但经过慎重选择，我放弃了这条捷径。我认为这样做只能使卡尔成为侧重于某一个领域的学者。

为了使卡尔学到更多的知识，我决定让卡尔去学法学。有位数学教授得知此事后深感遗憾，他问我为什么做这样的决定?

我告诉这位数学教授："决定专业方向应该是18岁以后的事，在那之前应该学习所有的学问。等到18岁以后，如果卡尔喜欢数学的话，那就让他搞数学。"

这以后，儿子就上了海得尔堡大学专修法学，成绩仍然十分优异，倍受老师和同学的喜爱。

健康而快乐的天才

有的人问我，卡尔所受的教育和取得的成就，是早期教育的成果，但受到这样的教育，他的健康是否受到了影响呢?

这的确是一个重要的问题。其实卡尔不仅在小时候，就是长大以后也一直是非常健康的。

诗人海涅在写给威兰的信中写道：在卡尔 10 岁时，他考过卡尔。当时他不仅为卡尔的非凡语言学才华而诧异，同时也为他的健康、天真和活泼、肉体上和精神上的过人之处而惊讶。

也可能有人会认为，卡尔受到那样的教育一定是光坐在书桌旁啃书，从而使天真浪漫的少年时代在毫无乐趣之中渡过。然而事实并不是这样的。

我非常欣赏德来登在一首诗中写的那句话：没有比品尝真理的滋味更为幸福的了，享受到真理的幸福是永生难忘的。

我认为，从小就享受到真理滋味的儿子，比任何一个儿童都要幸福。而且，正如前面已经叙述过的，由于我对他的合理教育，儿子单纯坐在桌旁专心致地学习的时间是很少的，他有着充足的时间尽情游戏和运动。

由于卡尔从小就通晓事理，知道很多其它儿童所不知道的事，而且对每件事都有成熟的看法，所以孩子们和他一块玩时都感到愉快。他的知识是其他儿童所望尘莫及的，但他却一点也不骄傲，也决不嫌弃和看不起其他孩子。

不仅如此，由于和卡尔一块儿玩，孩子们总是感到亲切、愉快、不惹人生气，所以都喜欢跟他玩。即使有的孩子无理取闹，他也会圆满处置，决不作同他们争吵的傻瓜。

自古以来人们就说“学者必痴”，但我的儿子卡尔无论在小时候还是长大以后都不是枯燥乏味的书呆子，而总是给人以快感。

在他的脉博里自小就流淌着文学的血液，他不仅从小就精通自古以来的文学作品，而且还很早就写出了优秀的诗词和文章。

我认为，卡尔具有做人和作为学者的完美人格。同时，我也为自己能够成功地教育儿子而感到骄傲。

献给我的朋友们
（后　记）

卡尔取得如此巨大的成功，我作为父亲非常骄傲，但我更高兴的是我的教育学说被证明是行之有效的，而不是像有些人说的那样纯粹是异想天开。

大家也许认为，这本书是作为教育家的参考资料而写的。其实不然，因为教育家们敌视我，所以为他们写参考资料是无用的。不，我这本书就是为你们写的，为所有关心孩子教育的人写的。我想让大家知道，除了时下流行的教育方式，还有其他更为有效的方法。

我一向认为，如果教育得法，大多数孩子都会成为非凡的人才。我的儿子能有今天，都是我教育的结果，我知道人们不停怪罪其他教育家为什么不把孩子也教育成像卡尔那样的人，这种怪罪是不合理的。我想尽量阐明这种看法为什么不合理，可是无济于事。因为教育家被说成无能的原因在我，教育家们敌视我也是不奇怪的。看过全文的人会了解本书的内容就在于说明一点：倘若家庭教育不好，多么优秀的教育家认真进行教育，也不会有好的效果。从这一点来讲，我并不是他们的敌人。

尽管如此，愿意认可我的教育学说的人依然很多。令我感到欣慰的是，毕竟还有人是我的知音，裴斯泰洛齐是人们当中第一个承认我的教育法的人。当人们还用怀疑的眼光看待我的教育法时，他立即就鼓励我说："你的教育法必定成功!"最近他又劝我公开我的教育法，还有巴黎大学的朱利安教授也这样劝我。在此，顺便把裴斯泰洛齐先生给我的信公开如下：

"我曾记得14年前，在布夫塞同你谈过教育问题。当时，你说你要用你的特别教育法非常有效地去教育你的孩子。而在14年后的今天，我看到你儿子受到的教育效果比你预想的还要好。

但是，不了解情况的人也可能怀疑这是你教育的结果，或许认为这是你儿子的天赋所致。在这种情况下，希望你详细发表你的教育法，证明用你的教育方法会使所有的孩子都得到好处。这是一件极为有益的事，请你务必考虑。"

你的最卑微的仆人和朋友

——裴斯泰洛齐

1814年9月4日于伊凡尔顿

我就是在他们的再三劝说下，把本书公之于众的。所以，这本书我要首先献给我的朋友们，感谢他们对我的关心。此外，我还要感谢所有曾给予过我们父子帮助的人士，劳斯特博士、居恩博士、莱比锡的好心市民们、杰罗姆国王陛下、布朗斯维克公爵、肯布里基公爵等等，感谢他们无私的善意帮助，我也将这本书献给他们。

老卡尔·威特

1818年12月20日于格廷根

图书在版编目（CIP）数据

卡尔·威特的教育/（德）威特著；刘恒新译．－北京：京华出版社，2001.5

（哈佛天才与素质教育典藏文库）

ISBN 7－80600－590－0

Ⅰ．卡…　Ⅱ．①威…②刘…　Ⅲ．家庭教育　Ⅳ．G78

中国版本图书馆 CIP 数据核字（2001）第 028147 号

卡尔·威特的教育

著　　者 □ 卡尔·威特著

译　　者 □ 刘恒新译

责任编辑 □ 可人

封面设计 □ 星鸿工作室

出　　版 □ 京华出版社（北京市安华西里 1 区 13 楼）

（010）64258473　64258472

发　　行 □ 新华书店总店北京发行所经销

印　　刷 □ 北京市黄坎印刷厂

开　　本 □ 850×1168mm　1/32

字　　数 □ 200 千字

印　　张 □ 9.5

印　　数 □ 1－10000

出版日期 □ 2001 年 6 月第 1 版　2001 年 6 月第 1 次印刷

书　　号 □ ISBN7－80600－590－0/G·342

定　　价 □ 19.80 元